détox
plan de
revitalisation

modus vivendi

Paru sous le titre original de : Detox

LES PUBLICATIONS MODUS VIVENDI INC.
5150, boul. Saint-Laurent 1er étage
Montréal (Québec)
Canada
H2T 1R8

Design de la couverture : Marc Alain
Infographie : Modus Vivendi
Traduction : Claudine Azoulay

Dépôt légal : 1er trimestre 2004
Bibliothèque nationale du Québec
Bibliothèque nationale du Canada
Bibliothèque nationale de Paris

ISBN : 2-89523-247-4

Nous reconnaissons l'aide financière du gouvernement du Canada par l'entremise du Programme d'aide au développement de l'industrie de l'édition (PADIÉ) pour nos activités d'édition.
Gouvernement du Québec – Programme de crédit d'impôt pour l'édition de livres – Gestion SODEC

détox
plan de
revitalisation

modus vivendi

TABLE DES MATIÈRES

Introduction

Comment allez-vous? Avant de répondre «Bien, merci», réfléchissez un instant. Comment allez-vous *vraiment*? Quand vous vous réveillez le matin, auriez-vous envie de vous pelotonner et de dormir quelques heures de plus? Et en vous regardant dans le miroir, vous demandez-vous où sont passés le teint frais et la peau souple de votre jeunesse? Buvez-vous café sur café tout en vous sentant malgré tout à bout de nerfs et de forces?

Êtes-vous, en bref, patraque et en avez-vous marre de vous sentir patraque?

Si vous êtes dans cet état, vous n'êtes pas tout seul. Beaucoup de gens parmi nous ressentent la même chose: ils souffrent de malaises mineurs et tenaces – qui vont des problèmes de cheveux à des ballonnements en passant par une nervosité qui les pousse à rembarrer la première personne ayant le malheur de se trouver entre eux et la machine distributrice de boissons gazeuses – sans toutefois souffrir d'aucune maladie grave. En insistant un peu, nous pourrions découvrir que nous nous sentons tous plus ou moins mal fichus sans savoir ce que nous faisons d'incorrect.

Est-ce le stress au travail ? Les gaz d'échappement dans l'atmosphère ? Les agents de conservation dans notre alimentation ?

C'est un peu tout cela à la fois. Si l'on y ajoute un trop grand nombre de tasses de café, quelques séjours dans l'atmosphère enfumée d'un bar, trop de soirées à veiller tard et peu ou pas d'activité physique, on a la recette idéale pour obtenir exactement le contraire d'un corps en bonne santé.

Alors, que faire ?

S'abonner à un centre de santé pour les cinq prochaines années ?

Ou bien oser envisager une cure de détoxication ?

Avant que vous ne refermiez ce livre en lisant le mot détoxication, je vous rassure tout de suite. Vous n'aurez pas besoin de suivre un régime draconien de trois jours mal conseillé, avec irrigation du côlon en prime, ni de boire une de ces tisanes préconisées par une célébrité, qui sent le compost et coûte deux semaines de salaire pour autant de produit miracle. Votre médecin en serait consterné... et votre organisme aussi.

Une détoxication adéquate n'est ni plus ni moins qu'un régime alimentaire sain et naturel, conçu pour améliorer les fonctions saines et naturelles de votre corps. Il va donc falloir abandonner toutes les substances toxiques qui, croyons-nous, nous aident à passer la journée – à savoir la caféine, la nicotine et le sucre – et qui, en réalité, aggravent notre état à long terme. En revanche, il va falloir adopter les fruits et les légumes frais, de grandes quantités d'eau, des aliments complets et biologiques, le tout agrémenté de quelques exercices physiques et d'un sommeil régulier.

Rien de compliqué ! Et les résultats parleront d'eux-mêmes. En quelques jours seulement, vous vous sentirez détendu, votre énergie aura augmenté, votre peau aura éclairci, vos cheveux seront plus brillants et plus vigoureux, et votre humeur se sera beaucoup améliorée.

En outre, vous ne serez pas tout le temps affamé et pas une seule fois, il ne vous aura fallu ingurgiter une décoction de pelouse.

Réfléchissez un instant. Si votre voiture faisait des bruits bizarres et refusait de démarrer le matin, vous iriez tout de suite la faire réparer.

Alors, peut-être est-il temps de faire pareil pour vous-même.

À VOS MARQUES...

En quoi consiste une cure de détoxication? Imaginez que c'est le nettoyage de printemps de votre organisme, c'est-à-dire un moyen de vous débarrasser de toutes les cochonneries et toxines que vous avez accumulées durant des mois, voire des années.

Vous pouvez suivre un programme détox à court terme, le week-end revigorant par exemple, et vous vous sentirez aussitôt plus léger, vous aurez davantage d'énergie et vous aurez meilleure mine, exactement comme votre logement quand vous vous décidez enfin à apporter vos vieux bouquins au magasin d'articles usagés, à faire le tri dans votre garde-robe et à déloger la poussière dans le moindre coin et recoin.

Une fois que vous avez remis votre logement en ordre, vous souhaitez le garder ainsi. Vous prenez l'habitude de faire le ménage plus souvent et vous avez soudain envie que tout reste bien rangé.

Il se produit la même chose avec une cure détox. Une fois que vous commencerez à ressentir, sur votre apparence physique autant que sur votre organisme, les effets bénéfiques de votre sevrage à la caféine et à une mauvaise nutrition, et que vous commencerez à apprécier les aliments complets naturels et les exercices physiques modérés et réguliers, vous voudrez poursuivre dans cette voie.

Une cure détox améliorera votre bien-être à court terme, mais si vous adoptez le mode de vie plus sain qu'elle exige, elle fera aussi merveille sur votre santé et votre forme physique à long terme.

QUEL EST LE PRINCIPE ?

Si vous mettez dans votre voiture l'essence qui convient, elle fonctionne à la perfection. Si, par erreur, vous mettez du diesel, elle s'arrête. C'est la même chose pour votre corps. Donnez-lui ce dont il a besoin et il fera de son mieux pour vous. Donnez-lui des cochonneries et il sera trop occupé à essayer de digérer la dernière livraison de glucides et de sucres raffinés pour se préoccuper des réparations et de l'entretien général.

Faite convenablement, une cure détox ne se contente pas d'aider le corps en accélérant ses capacités à éliminer les déchets, elle lui fournit aussi toutes les vitamines et tous les nutriments dont il a besoin pour se réparer et se renforcer.

Le foie est d'une importance particulière car c'est l'organe qui extrait les toxines, telles que les additifs chimiques, les médicaments et l'alcool présents dans ce que nous ingérons, et qui les transforme en substances moins nocives, les stocke ou les élimine.

S'il est trop occupé à traiter des déchets toxiques, il ne peut pas remplir une autre de ses fonctions principales, soit celle de fournir de l'énergie. C'est pour cette raison que, lorsque vous avez la gueule de bois, vous êtes amorphe et qu'un repas trop lourd vous laisse sans ressort.

Si le foie est obligé, pendant trop longtemps, de stocker un surplus de toxines inutiles, vous risquez une maladie du foie, un trouble médical qui va affecter tout votre système car cet organe est vital pour votre santé.

Prenez-en donc bien soin. Le foie est revigoré par les fruits et les légumes. Il est épuisé par le vin rouge et les pièces de bœuf grasses. Une description plus détaillée du foie et de ses fonctions est donnée plus loin dans cet ouvrage.

Les reins sont aussi des organes vitaux car ils transforment les liquides et éliminent les toxines. Vous devez boire au moins deux litres d'eau par jour, trois si vous travaillez dans un bureau qui a l'air climatisé, si vous avez le chauffage central chez vous ou si vous faites régulièrement de l'exercice qui vous fait transpirer. Certains athlètes ont tout le temps sur eux une bouteille d'eau dont ils boivent continuellement quelques gorgées. Essayez de prendre cette habitude vous aussi. Si vous trouvez l'eau trop insipide, ajoutez-y quelques gouttes de jus de citron ou une boisson médicinale non sucrée, mais de l'eau plate du robinet est encore ce qu'il y a de meilleur.

Le fait de boire beaucoup d'eau peut vous éviter d'avoir des calculs rénaux, un problème de santé très courant.

À QUELS EFFETS S'ATTENDRE ?

Au début, vous risquez de constater qu'une cure de détoxication empire votre état !

Les personnes qui boivent beaucoup de thé et de café risquent d'avoir de légers maux de tête le premier ou même le deuxième jour où ils s'en passent. Vous risquez aussi de vous sentir fatigué car votre organisme est devenu trop dépendant de ces excitants artificiels mais cela passera aussi et vous retrouverez une énergie que vous n'aviez encore jamais eue. D'autres symptômes des premiers jours peuvent être une langue pâteuse et une mauvaise haleine ; ils sont la preuve que l'organisme est en cours de nettoyage et ils ne durent pas longtemps. Vous risquez aussi de vous sentir un peu irritable, surtout au début ; pour cela, il est préférable de commencer votre détoxication durant un week-end ou un congé.

Dans peu de temps, vous vous sentirez requinqué, vous aurez moins de sautes d'humeur et il vous sera plus facile de vous endormir le soir et de vous lever le matin.

Vos selles deviendront plus régulières grâce à un apport adéquat de fibres et de liquides (la constipation est souvent causée par une déshydratation légère).

Les effets à long terme sont, entre autres, un teint plus clair.

Si vous êtes sujet à la congestion nasale, causée par des pores obstrués, vous constaterez peut-être une amélioration. Votre peau sera plus douce et moins sèche à mesure que votre circulation s'améliore, ce qui rendra aussi vos cheveux et vos ongles plus sains et plus forts.

Une détoxication pourrait aussi vous aider si vous essayez de devenir enceinte car elle remettra votre organisme en bon état de fonctionnement. Il est vraiment déconseillé de fumer, de boire et de manger des aliments vides quand on est enceinte ou quand on prévoit l'être.

À plus long terme, vous pourriez perdre du poids. Pas en jouant au yo-yo comme dans les régimes draconiens mais progressivement, en laissant le temps à votre corps d'atteindre son poids idéal, appelé poids santé. Bien que cela prenne un peu plus longtemps, le poids perdu ainsi, d'une manière graduelle, reste perdu. Dans la plupart des cas, le poids perdu d'une manière brusque est dû à une perte d'eau et de graisse, et il est rapidement regagné. Une perte de poids graduelle a davantage de chances de se solder par une véritable perte de graisse.

Vous pourriez même être en mesure de dire adieu à la cellulite, cette peau d'orange disgracieuse qui afflige presque toutes les femmes, même sveltes et en forme. Quand votre organisme fonctionne à plein régime, il s'occupe de tout, même de ces capitons bien installés sur vos hanches.

PRÊT...

Changer son régime alimentaire demande un peu de prévoyance. Cela ne consiste pas à simplement mettre des articles différents dans son chariot la prochaine fois qu'on va au supermarché.

Premièrement, il faut faire preuve de motivation. Si vous vous forcez à manger des légumes sans savoir vraiment ce qu'ils sont censés faire, vous vous dirigez tout droit vers la catastrophe : vous retournerez aux repas-rapides en moins de temps qu'il n'en faut pour le dire !

Deuxièmement, vous voulez savoir ce que vous faites et pourquoi vous le faites. Prenez le temps de planifier vos repas de la semaine suivante. Réfléchissez aux raisons qui vous poussent à agir ainsi et aux résultats que vous escomptez obtenir. Fixez-vous des objectifs positifs : la raison « pour que je me sente moins déprimé » aura peu de chances de vous motiver par un après-midi pluvieux de novembre.

Imaginez ce que vous allez pouvoir faire grâce à toute cette énergie retrouvée. Par exemple, vous pourriez améliorer votre efficacité au travail et obtenir une promotion. Si vous êtes pris dans une routine et que vous voulez sortir de la sédentarité, prendre votre santé physique en main est le meilleur moyen d'y arriver. C'est surprenant ce que le mental peut accomplir si le corps est en pleine forme.

Ou bien vous désirez retrouver votre vitalité et votre éclat et regagner en partie cette énergie perdue depuis belle lurette. Vous avez peut-être un projet de vacances important ou une occasion spéciale ou bien vous voulez simplement vous sentir, pour une fois, bien dans votre peau.

C'est exaltant. C'est un voyage. Il faut donc tout planifier.

1 Planifiez

Avez-vous remarqué l'image idyllique que les journaux et les magazines nous donnent des régimes ? Une photo illustrant de superbes crevettes cuites juste ce qu'il faut, posées sur un lit de cœurs de laitue et de tranches de pastèque et garnies de yogourt biologique suffirait à convaincre quiconque de compter ses calories.

Mais si vous avez déjà tenté de suivre un de ces fameux régimes, vous avez dû vous rendre compte comme ils peuvent être compliqués et coûteux. Manger du saumon sauvage poché au petit déjeuner et une salade de fruits frais au dîner rend sans doute un régime attrayant mais qui peut se payer, à la fois en termes de temps et d'argent, une telle extravagance ?

La raison pour laquelle un grand nombre d'entre nous ont un surpoids, c'est que nous choisissons notre nourriture en fonction de son prix et du temps qu'il va falloir pour la préparer. Avec un peu de planification, cependant, nous pouvons changer cet état de choses. Nos mères et nos grands-mères, qui étaient nées avant l'avènement de la commercialisation de masse de la nourriture bon marché, au temps où on ne pouvait pas se contenter d'une pizza surgelée et de frites précuites, devaient planifier leurs provisions de manière à ce que celles-ci nourrissent toute une tablée durant une semaine entière. Nous devrions pouvoir faire de même.

Par exemple, si vous prévoyez faire une salade pour le dîner, planifiez une salade de nouveau au souper et servez-vous de la laitue et des tomates restantes pour garnir les sandwichs du lunch le lendemain. Si vous préparez des crudités, utilisez le reste de céleri et de carottes dans une soupe ou achetez une centrifugeuse pour faire des jus, à servir au petit déjeuner.

Résistez à la tentation d'acheter plusieurs sacs de pommes et d'oranges à la fois et prenez l'habitude d'acheter des fruits plus souvent, en petites quantités. Ainsi, vous aurez toujours des produits frais et vous éviterez de vous retrouver avec une coupe pleine de fruits plus ou moins pourris. Si vous en avez malgré tout acheté trop, faites une salade de fruits ou une compote de pommes et de poires que vous mangerez avec des céréales au petit déjeuner.

Le meilleur moyen de planifier, c'est de vous asseoir avec un papier et un crayon avant d'aller faire votre épicerie. Ne vous contentez pas de dresser une liste mais notez aussi avec précision quels repas vous allez faire et quels jours vous allez les préparer. Ce genre de planification élimine pas mal la créativité spontanée mais elle permet en revanche de remédier au stress engendré par la fameuse question « qu'est-ce que je vais faire à souper ? ».

Choisissez des repas faciles à faire le soir et d'autres plus compliqués quand vous avez davantage de temps. Cuisinez d'avance et congelez des portions équivalentes à un repas. Évitez de mettre dans votre chariot des repas tout prêts «au cas où». Si vous avez le temps de déballer une lasagne surgelée et de la mettre au micro-ondes, vous avez sans doute le temps de faire cuire des pâtes complètes pendant que vous coupez et faites revenir un oignon auquel vous ajouterez des tomates, du pesto, un poivron haché et de l'assaisonnement.

Non seulement est-il plus satisfaisant pour vous de manger quelque chose que vous avez vous-même préparé mais c'est également meilleur pour votre santé. Même les soi-disant plats santé précuits regorgent de sel, de sucre et d'agents de conservation qui leur permettent de se garder longtemps et d'avoir meilleur goût. Le mets ressemble peut-être à une pizza margarita authentique mais soyez certain que, s'il se vend dans un plat sous vide pour cuisson au micro-ondes, il s'agit d'une prouesse du génie chimique plutôt que de l'art culinaire.

Enfin, pensez aux herbes aromatiques et aux épices qui constituent un moyen beaucoup plus sain de donner du goût à un plat que le sel. Les fines herbes sont meilleures fraîches. Par conséquent, si vous avez un rebord de fenêtre bien placé, vous pourriez en acheter une variété que vous aurez toujours sous la main. La ciboulette, la coriandre, le basilic et le persil répondront à la plupart de vos besoins. En règle générale, quand on utilise des herbes fraîches, on a besoin d'environ le double de la quantité d'herbes séchées, qui sont toujours plus concentrées. Quand vous achetez des provisions pour le garde-manger, achetez les épices dont vous avez besoin plutôt que toute la panoplie, car il y en a beaucoup que vous n'utiliserez jamais.

2 Achetez de saison... et biologique

Grâce aux incroyables progrès de la technologie dans les domaines du transport et de la réfrigération, nous pouvons savourer des fraises quand il neige ou goûter à une mangue aussi juteuse et fraîche que quand elle a été cueillie, à 5000 kilomètres de chez nous.

Mais est-ce réellement une bonne chose?

La plupart des grands chefs cuisiniers, par exemple, détestent cuisiner des aliments qui ne sont pas de saison car les aliments surgelés n'ont plus la texture et la saveur des aliments frais, et les aliments en conserve ou secs n'ont pas leur place en haute cuisine. Ils veulent des légumes qu'on vient de cueillir et du poisson qui est arrivé au port le matin même. Bref, ils veulent des produits de saison et sont même prêts à modifier leurs menus en conséquence.

En plus d'avoir un meilleur goût, les aliments de saison sont plus riches en nutriments. Si l'on considère qu'un légume commence à perdre ses nutriments dès qu'on le récolte, alors forcément, plus vite il se trouve dans notre assiette, mieux c'est. S'il doit faire un long voyage en avion ou passer une année dans une sauce, il n'en sera que plus appauvri en principes nutritifs.

Quand vous achetez des produits frais, privilégiez autant que possible ceux qui proviennent de cultures locales. Plus le pays d'origine est proche du vôtre, moins de distance l'aliment aura à parcourir. Si vous devez absolument acheter des produits autrement que frais, préférez les produits surgelés à ceux qui sont conservés selon une autre méthode.

Opter pour des produits biologiques est encore une meilleure idée. Les aliments biologiques sont produits sans avoir recours aux pesticides et aux hormones qui permettent, par exemple, d'obtenir des carottes orange vif et de forme régulière ou bien des vaches qui produisent énormément de lait. Les produits biologiques sont en général moins esthétiques mais de loin meilleurs pour votre santé. En mangeant bio, vous diminuez sur-le-champ la quantité de toxines que vous ingérez car, même s'ils ont subi une transformation adéquate, la plupart des aliments issus de culture non biologique renferment des résidus chimiques.

Les supermarchés répondent de plus en plus à la demande des consommateurs et ils augmentent la variété de produits offerts. Ceux-ci restent malgré tout très chers. Cependant, si de plus en plus de gens en achètent, leur prix diminuera nécessairement.

Pour vous assurer que vos fruits et légumes, lait, fromage, œufs, viande (et même vin) sont biologiques, produits localement et de saison, vous pourriez vous abonner à un service de livraison de paniers à domicile ou à un point de chute.

Chose intéressante, de nombreuses personnes adoptent un mode de vie plus sain et se préoccupent aussi davantage du monde qui les entoure, ce qui les amène à consommer des produits équitables et biologiques. Les adeptes du yoga expliquent ce changement par un plus grand respect de soi : plus vous avez de respect envers vous-même, plus vous êtes enclin à respecter les autres gens et tous les éléments de l'univers.

3 Notez tout

Un des meilleurs moyens de garder une bonne habitude, c'est de rédiger un journal. Il ne remportera aucun prix littéraire mais il vous permettra de suivre votre cheminement.

Achetez un cahier de notes réservé à cette fin au lieu d'écrire vos pensées sur des petits bouts de papier en vous disant que vous les retranscrirez un jour dans un carnet, car vous ne le ferez jamais. Essayez également d'écrire tous les jours.

Décrivez comment vous vous sentez, tant physiquement qu'émotionnellement, notez ce que vous mangez, quelles activités physiques vous avez eues même s'il ne s'agit que de prendre l'escalier à la place de l'ascenseur. Chaque petit détail compte ; il faut donc tout noter. Si vous vous sentez découragé, écrivez-le et servez-vous ainsi de votre cahier comme d'un exutoire au lieu d'aller dans le premier restaurant de repas-rapides venu.

En plus d'être très thérapeutique, cet exercice vous aidera aussi à garder votre motivation. Vous plairait-il vraiment de noter que vous avez fumé cinq cigarettes, bu trois gin tonics et fait livrer de la pizza ?

Pour exactement la même raison, de nombreuses associations de perte de poids préconisent des réunions hebdomadaires et des comptes rendus nutritionnels. Quand on sait qu'on va devoir se justifier devant quelqu'un ou quelque chose, ça nous donne une volonté incroyable.

Un journal vous permettra aussi de vous poser des questions. Pour quelles raisons faites-vous tout cela ? Pour qui ? Si vous avez pour objectif d'être mince et en pleine forme pour les vacances d'été, rappelez-vous-le en mots. Écrivez une petite histoire dont vous êtes le superbe héros et qui se passe entre une plage de sable blanc et un ciel azur.

Un rapport écrit vous permet de savoir où vous en êtes rendu. Ces premiers jours où vous chipotiez sur des salades à défaut d'autre chose vous paraîtront bien lointains lorsque vous choisirez des fruits plutôt que du chocolat *parce que c'est ce que vous préférez*, que vos vêtements vous vont mieux et que votre peau est lumineuse.

Quand vous manquez un peu de motivation, relisez votre cheminement... ce sera plus intéressant que n'importe quel livre à succès, je vous le garantis.

4 Bougez

Si vous souhaitez vraiment améliorer votre santé, il faut que vous bougiez. La bonne nouvelle pour les gens n'ayant plus fait de course à pied depuis qu'ils ont quitté les bancs d'école, c'est que pour retrouver sa forme physique, il n'y a pas besoin de s'abonner à un club de gym hors de prix ni à s'essouffler en escaladant une montagne à six heures du matin.

En réalité, si vous avez abandonné la gymnastique depuis longtemps, vous vous ferez plus de mal que de bien si vous vous lancez dans une activité trop ardue.

Commencez par marcher. Descendre de l'autobus deux arrêts plus tôt et prendre l'escalier plutôt que l'ascenseur constituent déjà deux efforts intéressants. Votre objectif est d'augmenter légèrement votre rythme cardiaque, de vous essouffler un peu et de remettre vos muscles au travail après une très longue période de vacances.

Commencez par quelques minutes tous les deux jours pour arriver, par exemple, à trois marches de vingt minutes chacune par semaine.

Si vous souffrez de problèmes cardiaques ou respiratoires, consultez votre médecin traitant avant de vous lancer dans tout programme de conditionnement physique. Il ou elle sera en mesure de vous conseiller sur les étapes à suivre ou de vous recommander une personne capable de le faire.

Si vous êtes en assez bonne forme mais qu'il vous est difficile de mettre au point un programme de conditionnement physique, envisagez de vous faire un tableau indiquant vos objectifs pour toute la semaine. Augmentez graduellement le niveau des exercices qui doivent inclure un programme cardiovasculaire d'impact élevé (course à pied) et d'impact léger (bicyclette ou natation) ainsi que des étirements (technique Pilates, yoga ou simple séquence d'étirements à faire chez soi) et de la musculation, de préférence avec des haltères.

Un programme de mise en forme de sept jours est proposé un peu plus loin dans cet ouvrage.

Si vous manquez de motivation, demandez l'aide d'un expert, comme un entraîneur de gymnase, qui sera heureux de vous préparer un programme de conditionnement physique personnalisé.

Mieux encore, engagez un entraîneur particulier. Pour réduire les coûts, vous pouvez vous réunir à deux ou trois amis. L'entraîneur n'y verra pas d'inconvénient et vous profiterez tous de ce service particulier.

Les personnes en forme visent environ trois heures d'exercice par semaine, mais ne vous arrêtez pas là. Plus vous serez actif, plus vous serez en forme. Levez-vous de votre bureau et marchez dans la pièce. Prenez trois minutes de votre temps pour effectuer des étirements du haut de votre corps. Rendez-vous à votre travail à pied si le temps le permet. Allez-y ! Bougez !

5 Les allergies

Les allergies ou intolérances alimentaires, tout comme les sacs Prada et les entraîneurs particuliers, sont très tendance ces derniers temps. On se dit alors que si tant de célébrités prétendent avoir une allergie au gluten ou aux produits laitiers, une bonne proportion d'entre nous doit en avoir aussi.

En fait, sans doute pas.

Des recherches récentes ont démontré que très peu de personnes ont des allergies aux aliments, ce qui n'empêche pas que s'il y en a une, elle soit très grave.

Si vous soupçonnez une allergie alimentaire, vous devriez communiquer avec votre médecin traitant et passer les tests nécessaires plutôt que de tenter toute une série de régimes d'exclusion qui ne prouvent rien et vont vous laisser sans énergie et sous-alimenté.

Les aliments suspects le plus souvent mis en cause sont le lait, les œufs, le blé et le gluten, les fruits de mer et les additifs alimentaires. Les symptômes peuvent consister en troubles digestifs (constipation, diarrhée, ballonnements), réactions cutanées, migraine et même asthme.

Ces symptômes peuvent toutefois être causés par d'autres problèmes ; c'est pourquoi il est primordial de consulter un médecin. Il pourra vous recommander un nutritionniste qui vous aidera à savoir si vous avez une allergie alimentaire et vous dira comment y remédier.

Si vous soupçonnez que vous avez une allergie aux noix ou que vous avez toute autre réaction violente à une substance ou un aliment particuliers, vous devriez les éliminer sur-le-champ de votre alimentation et consulter un médecin car ils pourraient provoquer un choc anaphylactique pouvant s'avérer fatal.

6 Le stress

Tout le monde vit du stress. Sans lui, nous serions tellement décontractés que nous bougerions à peine, notre vie serait au point mort et nous serions incapables de réagir au danger (par exemple, s'écarter d'une automobile qui semble vouloir nous écraser).

En termes physiologiques, le stress correspond à une décharge d'adrénaline dans le système sanguin, provoquée par la panique ou la peur. Connue sous le nom de « réaction de lutte ou de fuite », cette décharge d'adrénaline permet aux athlètes de battre des records mondiaux ou aux soldats de lutter pour leur vie sur le champ de bataille, et elle a aidé nos ancêtres à échapper aux crocs acérés des tigres.

Il s'agit là d'une caractéristique biologique formidable puisqu'elle assure que l'organisme va rester concentré sur la zone cruciale : les muscles des jambes pour courir, les muscles des bras et du dos pour se battre. Simultanément, les autres parties du corps, dont le système digestif, ralentissent temporairement leurs fonctions. L'activité physique épuise l'adrénaline et le corps revient à la normale.

Il arrive cependant que ce système d'alarme continue à fonctionner même dans des circonstances où il n'est pas nécessaire. Par exemple, dans un bureau plein de monde et de bruit pendant que vous tentez d'achever un rapport important, ou au cours d'une présentation paralysante devant vos clients les plus importants.

Qu'allez-vous faire avec toute cette adrénaline ? Vous sauver à toutes jambes ?

Sans un exutoire physique, cette adrénaline restera dans votre système sanguin, elle détournera le sang de votre appareil digestif et augmentera votre rythme cardiaque et votre pression artérielle. Vous allez transpirer encore plus et votre bouche deviendra sèche.

Inutile de dire que le processus naturel d'élimination des toxines est compromis. Par conséquent, si vous aviez pris un gros dîner, arrosé d'un double espresso et d'une cannette de boisson gazeuse, juste avant que votre organisme ne passe au niveau stress, vous allez rester avec ce dîner sur l'estomac pendant un bon bout de temps.

Mais quel est le rapport avec la détoxication ?

Ce qu'il faut savoir, en gros, c'est que si vous avez l'intention de détoxiquer votre système, il va falloir que vous gériez votre stress sinon ça ne fonctionnera tout simplement pas.

Le meilleur moyen, de loin meilleur que les huiles essentielles dans le bain ou un massage et un masque facial le week-end, c'est de faire régulièrement de l'exercice. Même si vous êtes fatigué à cause de votre travail, trois kilomètres de bicyclette ou une course rapide autour du pâté de maisons feront des miracles.

En plus de vous permettre de faire une coupure entre travail et vie privée, cet exercice améliorera votre sommeil, éliminera l'adrénaline de votre système et permettra à celui-ci de revenir à la normale. Votre rythme cardiaque ralentira, votre pression artérielle s'abaissera et vous transpirerez moins.

Et votre organisme sera en mesure de profiter de ce succulent repas complet que vous allez trouver le moyen de préparer.

7 Les effets secondaires

Si vous avez déjà eu la gueule de bois, vous comprendrez qu'une détoxication n'est pas sans avoir d'effets secondaires. Le matin du lendemain de la veille, votre foie ne sait plus où donner de la tête. Pendant qu'il lutte pour rejeter cet encombrement soudain de toxines, votre organisme commence à montrer les signes d'un processus de détoxication accéléré sous forme de langue pâteuse, de soif intense, de nausées, sans compter les maux de tête, l'épuisement et l'irritabilité.

Une cure détox risque de produire des effets secondaires du même ordre mais ils ne dureront pas longtemps et ils seront la preuve que vos efforts sont récompensés... même si vous ne vous en rendez pas forcément compte !

Plus vous êtes « intoxiqué », plus les symptômes seront prononcés. Si, par exemple, vous entreprenez un programme détox après une longue période des fêtes, ponctuée de nourriture riche, de grandes quantités d'alcool et de soirées enfumées, attendez-vous à ressentir des symptômes pénibles.

Au début, vous risquez de vous sentir très fatigué. Si cela vous est possible, il conviendrait de faire une sieste d'une vingtaine de minutes quand vous en ressentez le besoin. Vous risquez aussi d'avoir la langue pâteuse et une mauvaise haleine. Se brosser les dents et la langue permet de réduire ces désagréments. Vous pouvez aussi mâcher un peu de persil, réputé pour neutraliser les odeurs.

Les maux de tête sont chose courante durant les premiers jours, surtout si vous avez l'habitude de boire beaucoup de thé et de café. Buvez beaucoup d'eau car elle permettra d'éliminer un peu plus vite les toxines... et vos maux de tête par la même occasion.

Constipation ou diarrhée risquent d'être présentes, ce qui peut sembler bizarre puisque la cure a pour but de régulariser les fonctions excrétrices de l'organisme. Ne vous en faites pas. Ces symptômes sont assez courants et ils disparaîtront rapidement. S'ils persistent, consultez un médecin au cas où il y aurait un problème sous-jacent dont vous n'auriez pas connaissance.

L'irritabilité risque d'apparaître, ce qui explique que tant de gens choisissent de passer seuls les premiers jours de leur cure détox. Ce n'est évidemment pas toujours possible ; il conviendrait donc de prévenir vos proches et de ne pas vous engager dans des situations génératrices d'anxiété comme des repas de famille ou du baby-sitting. Faites l'égoïste et offrez-vous la tranquillité.

Faire une marche rapide ou se prélasser dans un bain à la lavande constituent des moyens efficaces pour diminuer sa nervosité.

Ces effets secondaires sont désagréables certes mais ne les laissez pas, autant que possible, vous décourager. Rappelez-vous ce qui se produit : les toxines que vous avez accumulées au cours des derniers mois sont enfin libérées des cellules graisseuses pour être transformées et finalement évacuées.

Un beau matin, en vous réveillant, vous vous sentirez plus frais et dispos que vous ne l'avez été depuis des années, alors tenez bon.

PARTEZ !

La première cure détox s'étale sur sept jours. L'idéal serait de l'entreprendre un samedi et d'avoir ainsi deux journées pour s'adapter au nouveau régime.

Une fois la période de sept jours achevée, vous pouvez ajuster le régime à votre guise et à long terme ou bien, si vous avez déjà une alimentation équilibrée, vous pouvez revenir à la normale en y apportant quelques modifications, comme supprimer le café ou ne pas ajouter de sel à votre nourriture.

Le week-end revigorant a pour but de refaire le plein d'énergie et il est parfait pour se remettre en forme après une période de laisser-aller.

LES ALIMENTS DÉTOXICANTS

Si vous avez poursuivi la lecture jusqu'ici, il y a de fortes chances que vous soyez convaincu de vouloir suivre une cure de détoxication et que vous soyez impatient de la commencer. Mais, avant de vous lancer, voici quelques remarques à prendre en considération.

SAVOIR QUAND C'EST LE BON MOMENT

Comme nous l'avons dit dans le chapitre précédent, il est préférable de commencer une cure détox lorsque vous avez devant vous quelques jours de repos, qui vous permettront de vous adapter à votre nouvelle hygiène de vie.

...ET QUAND ÇA NE L'EST PAS

Une période de grand stress au travail, quand les délais sont serrés et que la pression arrive de tous les côtés n'est pas un bon moment pour chambouler vos habitudes alimentaires.

Durant la première semaine, il est également conseillé d'éviter toute activité sociale qui implique de boire ou de manger avec excès. Même si vous vous en tenez à de l'eau minérale et à une salade verte, l'atmosphère enfumée et bruyante d'un bar ou d'un restaurant vous laissera tout sauf frais et détoxiqué.

Si vous avez récemment souffert de la grippe ou de tout autre problème de santé, accordez-vous quelques semaines pour vous rétablir avant de vous lancer dans un programme détox. Votre organisme est déjà mal en point ; il n'a pas besoin de perturbations supplémentaires.

Si vous prenez des médicaments vendus sur ordonnance, attendez d'avoir terminé le traitement car ils risquent d'affecter le processus de détoxication.

Si vous êtes enceinte ou si vous allaitez, consultez votre médecin traitant avant de modifier vos habitudes alimentaires et prenez toujours les plus grandes précautions. Une grossesse ou un accouchement exigent beaucoup de votre organisme et même si les bienfaits d'une détoxication sont grands, les changements qui y sont reliés risquent d'être trop éprouvants.

Les personnes en cure de désintoxication d'alcool ou de drogue devraient aussi être prudentes et attendre que leur corps ait retrouvé ses forces.

AVANT DE COMMENCER

Prévoyez-vous une récompense pour la fin de la première semaine. Songez à quelque chose qui ne soit pas de la nourriture pour briser le lien entre gratification et nourriture. Ce peut être un délicieux massage, un nouveau vêtement ou une sortie spéciale.

Pendant votre cure détox, essayez de rendre les repas attrayants. Si vous avez l'habitude d'engloutir votre nourriture en regardant la télévision ou en lisant un livre, vous ne remarquez ni le goût ni la texture des aliments et vous terminez le repas avec la sensation de ne pas être rassasié et de vouloir manger encore.

Dressez plutôt la table et asseyez-vous pour manger, sans interruption et avec un minimum de bruit ambiant. Ainsi, vous profiterez au maximum de votre nourriture et vous serez en mesure de penser à ce que vous êtes en train de manger et pourquoi vous mangez ça. Plus le renforcement mental du programme est fort, mieux c'est car il vous permet d'en respecter les règles. Selon certaines recherches en psychologie, plus vous pensez à la nécessité de devenir mince et en santé, plus vous deviendrez mince et en santé.

Assurez-vous d'avoir bien planifié vos repas, d'avoir fait tous vos achats et d'avoir votre objectif bien ancré à l'esprit.

Et allez-y.

LES BONS ALIMENTS, LES TRÈS BONS ALIMENTS ET LES SUPERALIMENTS

Il n'y a rien de pire qu'un mauvais aliment. Certains aliments sont meilleurs que d'autres et, pour le moment, vous vous contentez des bons. Voici une liste des meilleurs aliments détoxicants, accompagnée d'une description justifiant leur présence sur le palmarès des aliments conseillés.

Les bons aliments

Banane: la collation idéale, elle a déjà son emballage et est riche en potassium qui aide à régulariser la pression artérielle. Elle est parfaite aussi comme aliment consommé avant ou après une activité physique car elle renferme un sucre naturel qui se libère rapidement dans le système sanguin.

Beurres de noix, sauf le beurre d'arachides qui est très riche en gras: pour changer, essayez le beurre de noix de cajou ou de noisettes, de préférence sans sel ajouté.

Courgette : aussi bonne crue que cuite, elle est donc très polyvalente. Elle est riche en bêta-carotène et en vitamine C et elle fournit des fibres. Les fleurs de courgette ajoutent une touche intéressante aux salades et aux hors-d'œuvre.
Farine complète et produits dérivés : entre autres, les pâtes complètes qui, une fois qu'on s'y est habitué, ont beaucoup plus de goût que les pâtes blanchies traditionnelles. Elles sont aussi bien meilleures pour le foie.
Graines de citrouille : délicieuses grillées et riches en potassium, magnésium et zinc. Si vous fumez ou essayez d'arrêter, il y a de fortes chances que vous souffriez d'une légère carence en zinc. Assurez-vous de les inclure dans votre alimentation. Elles sont aussi une bonne source naturelle de fer.
Graines de tournesol : comme les graines de citrouille, elles sont pleines de saveur et de minéraux, dont la vitamine E qui a un effet bénéfique sur la peau.
Lentilles : riches en protéines, en fibres solubles qui aident à diminuer le cholestérol sanguin et en fibres insolubles qui aident à prévenir la constipation et diminuent le risque de cancer du côlon.
Miel : à quantité égale, le miel est en réalité plus sucré que le sucre. Il est réputé pour être un bon décongestionnant, un laxatif très doux et il stimule aussi la production d'endorphines, les analgésiques naturels de l'organisme.
Pois chiches : riches en protéines et par conséquent un substitut sain de la viande. Cependant, il faut les manger en association avec des légumes et des grains entiers comme du riz ou du pain pour fournir à l'organisme les acides aminés essentiels.
Tofu : très polyvalent, il absorbe la saveur de l'aliment avec lequel on le cuisine. Il est riche en protéines et en

vitamine E, et faible en gras saturés, à condition qu'on ne le fasse pas frire. Il est cependant souvent mentionné comme aliment allergène. Par conséquent, si vous n'en avez jamais mangé, commencez par une petite portion et surveillez votre réaction.

Viande : choisissez des coupes de viande maigre et fraîche plutôt que des produits dérivés de la viande comme les saucisses qui contiennent énormément de céréales et d'agents de conservation. Oubliez du même coup les viandes comme le salami et le bacon.

Les très bons aliments

Aubergine : bien que soupçonné autrefois de donner une mauvaise haleine et de rendre fou, ce légume luisant originaire de l'Inde fournit beaucoup de fibres pour très peu de calories... pourvu que vous ne le fassiez pas frire. À cause de sa texture, une portion de 100 g peut absorber jusqu'à 300 calories d'huile !

Avocat : ingrédient populaire des masques de beauté, l'avocat est une excellente source de vitamine E et d'antioxydants, qui contribuent l'une comme les autres à la santé de la peau.

Beurre : incluez-le dans votre alimentation car toutes les diètes doivent inclure des graisses, l'idéal étant une proportion de moins de 35 % mais de plus de 30 %. Optez pour du beurre non salé, biologique et évitez de manger du beurre qui a changé de couleur car cela signifie qu'il a ranci.

Fromages de chèvre et de brebis : plus faciles à digérer que les fromages à base de lait de vache. Ils constituent aussi un excellent choix pour les gens qui ont développé une intolérance au lait de vache.

Gruau : en plus d'être un plat qui réchauffe et qui rassasie, c'est une bonne source de fibres solubles qui peuvent aider à réduire le cholestérol.

Lait de soja et produits à base de lait de soja : ils constituent un bon substitut aux produits à base de lait de vache et sont plus faciles à digérer car ils ne renferment pas de lactose, le sucre naturel présent dans le lait.

Millet : sans gluten, il constitue donc une céréale utile pour les gens faisant une intolérance au gluten. Peut servir à faire les pains plats asiatiques.

Œufs : optez pour des œufs biologiques ou provenant de poules élevées en liberté. Lisez bien les étiquettes car si biologiques veut forcément dire poules élevées en liberté, l'inverse n'est pas vrai. Il est préférable d'avoir les deux. Les œufs doivent absolument faire partie de votre alimentation car ils renferment des protéines, de la lécithine et de la vitamine B_{12} dont vous avez besoin pour avoir un système nerveux en bonne santé, surtout si vous êtes végétarien.

Orge : bonne source de fibres.

Poivron : délicieux cru dans les salades, c'est une bonne source de vitamine C, de bêta-carotène et de bioflavonoïdes, ce qui fait de lui l'antidote idéal des dommages engendrés par les radicaux libres.

Pommes de terre : polyvalentes, bourrées de vitamine C, de fibres, d'amidon et de potassium, bon marché et faciles à cuisiner. Optez si possible pour des biologiques et conservez le maximum de pelure car c'est là que se trouve toute la valeur nutritive.

Poulet : choisissez du poulet élevé en liberté et biologique, pas seulement par souci d'éthique mais aussi parce que la viande est plus pure et moins truffée de substances chimiques destinées à accélérer artificiellement la croissance de l'animal.

Sarrasin : bonne source de fibres.

Les superaliments

Agrumes : oranges, pamplemousses, limettes et citrons ont tous une forte teneur en vitamine C. Le citron est aussi un bon substitut du vinaigre.

Artichaut : connu pour ses vertus détoxifiantes.

Betterave : ce légume-racine rose vif est un cocktail hautement concentré de vitamines et de minéraux. On la recommande comme anticancéreux et pour combattre la cystite. Elle est également riche en acide folique, essentiel à la multiplication des cellules. Elle est donc conseillée aux femmes enceintes et à celles qui prévoient le devenir. En termes de détoxication, on pense que la betterave aide à augmenter la quantité de bile sécrétée par le foie, rendant ainsi plus efficace l'évacuation des déchets de l'organisme.

Café de racine de pissenlit : connu comme un tonique du foie.

Canneberges : du fait qu'elles acidifient l'urine, les canneberges contribuent fortement à améliorer les fonctions rénales et on les prescrit souvent pour soulager les symptômes de la cystite.

Carotte : forte teneur en vitamine C et en bêta-carotène. Sert de base à une formidable variété de soupes et de jus frais.

Chou : réputé pour ses propriétés détoxifiantes. La famille du chou comprend le navet et les choux de Bruxelles qui devraient être très peu cuits afin de conserver un maximum de leurs vitamines. Les choux de Bruxelles, sans doute le légume le moins apprécié de tous les temps, peuvent servir à faire une salade de chou délicieusement croquante : il faut simplement les laver, les hacher finement et les enrober de mayonnaise.

Cresson : riche en bêta-carotène qui est bon pour le foie. Excellent dans les soupes et les salades.

Épices : plus spécialement le curcuma qui est bon pour le foie, la muscade qui est parfaite pour ajouter aux mets saveur et douceur, ainsi que la cannelle qui se marie à merveille avec les pommes.

Fraises, framboises et autres fruits mous : chaque saison a ses baies et elles sont toutes excellentes. Elles renferment des bioflavonoïdes et de la vitamine C. Même les gens qui n'aiment pas les fruits les trouvent délicieuses !

Galettes de riz : un excellent substitut du pain.

Germes de soja : en tant que plantes jeunes, ils sont bourrés de vitamines destinées à soutenir la nouvelle croissance. Quand une graine de soja commence à pousser, sa teneur en vitamine C augmente plusieurs centaines de fois. Ils ajoutent aux salades une touche de fraîcheur ainsi que du croquant.

Gingembre frais : bien meilleur que le gingembre en poudre et très bénéfique pour la digestion. La tisane de gingembre est également intéressante mais lisez attentivement les étiquettes car un grand nombre de tisanes du commerce possèdent un emballage donnant l'impression qu'elles sont pures et naturelles alors qu'elles renferment des agents de conservation et des arômes chimiques.

Graines de lin : on peut soit les moudre et les consommer pour leurs acides gras, réputés favorables à la fonction hépatique, soit les manger telles quelles afin qu'elles servent de fibres molles dans les intestins, destinées à soulager la constipation.

Herbes aromatiques fraîches : on peut en acheter dans la plupart des supermarchés et elles pousseront bien sur le rebord d'une fenêtre.

Huile d'olive: votre alimentation doit renfermer du gras pour combler vos besoins en acides gras essentiels. L'huile d'olive est un gras insaturé, ce qui signifie qu'il aide vraiment à réduire le cholestérol sanguin. Les huiles extravierges sont les meilleures.

Infusion de menthe poivrée: idéale pour faciliter la digestion et un bon remontant si le coup de fouet apporté par la caféine vous manque.

Lécithine: présente dans les œufs et les graines de soja, on peut aussi l'acheter sous forme de granulés et la saupoudrer sur les céréales ou les salades. C'est un agent émulsifiant réputé pour améliorer le fonctionnement du foie et de la vésicule biliaire. On prétend même que c'est un bon traitement contre la cellulite mais, malheureusement, ça reste encore à voir!

Oignon et ail: connus tous les deux pour leurs vertus détoxifiantes et pour renforcer le système immunitaire. On peut les ajouter à toutes sortes de plats. Si vous ne supportez pas le goût ou l'odeur de l'ail, il se vend des capsules d'ail inodores et faciles à avaler dans la plupart des magasins de produits naturels et des supermarchés.

Poisson frais ou, si vous n'avez pas de poissonnier dans le quartier, surgelé: si vous devez l'acheter en conserve, donnez la préférence au poisson à l'huile plutôt qu'en saumure car celle-ci est trop salée, et rincez bien le poisson avant de le manger. Les poissons dits gras (maquereau, saumon, hareng) renferment des gras oméga-3 qui sont essentiels pour le développement des yeux et des tissus du cerveau ainsi que pour la protection contre les maladies cardiaques et vasculaires. Essayez d'en manger trois portions par semaine.

Pomme : bourrée de pectine, une fibre soluble qui aide à abaisser le cholestérol sanguin et à prévenir la constipation.

Poudre d'orme rouge : l'écorce interne moulue de l'orme se vend dans les magasins de produits naturels. En tant que forme très douce de glucide non digestible, il passe naturellement dans les intestins et entraîne avec lui les toxines.

Radis : riches en vitamine C, ils possèdent des propriétés diurétiques naturelles.

Raisin : contient des antioxydants qui contribuent à la détoxication.

Riz complet : a plus de saveur que le riz blanc et est un collaborateur précieux du foie car, lors de son passage dans les intestins, il entraîne avec lui les toxines et favorise leur évacuation. Le riz complet à grains ronds est le meilleur car il possède la plus grande capacité d'absorption.

LES ALIMENTS À ÉVITER

Alcool : il faut une heure à votre foie pour traiter une seule unité d'alcool alors qu'à la place, il pourrait s'occuper de l'accumulation déjà présente de toxines. Même si on prétend que le vin rouge est riche en antioxydants, gardez la bouteille fermée pendant votre cure détox.

Arachides : renferment une grande quantité de gras et d'amidon.

Caféine : une seule tasse de café moulu contient pas moins de 115 mg de caféine, ce qui en fait un puissant diurétique qui nuit à votre détoxication car il cause une déshydratation. Si vous aviez l'habitude de boire beaucoup de café, vous risquez d'avoir quelques maux de tête les premiers jours de votre sevrage. Veillez à boire beaucoup d'eau et les symptômes disparaîtront rapidement.

Champignons : bien qu'ils soient excellents en termes de goût, les champignons peuvent renfermer des substances cancérigènes, telles que les hydrazines et les nitrosamines, ainsi que des métaux lourds toxiques comme le cadmium et le plomb.
Chocolat : bien que ce soit l'aliment le plus délectable puisqu'il fond sur notre langue, il est riche en sucres et en gras et renferme lui aussi de la caféine.
Farine blanche, pain blanc, riz blanc, pâtes blanches : ces glucides raffinés, en stimulant la production d'insuline, obligent le foie à sécréter des taux élevés de gras pouvant entraîner du diabète et des maladies du cœur.
Gras hydrogénés : les margarines, par exemple, qui sont difficiles à digérer.
Levure et extrait de levure : peuvent causer une surabondance de *Candida albicans*, une levure présente dans les intestins et responsable de la production d'énergie et de vitamine K. Une trop grande quantité de cette levure peut causer du muguet ainsi que des symptômes plus graves tels qu'une fatigue extrême, des sautes d'humeur, le syndrome du côlon irritable et des douleurs articulaires. On prescrit souvent aux personnes souffrant de tels symptômes une diète exempte de levure. Ce problème étant fréquent, on exclut en général la levure des régimes détoxicants, du moins au début.
Poisson fumé : peut renfermer des toxines.
Sel : essayez de vous passer de sel puisque de nombreux aliments en contiennent déjà. Au bout d'un ou deux jours sans avoir ajouté de sel, vous constaterez que vous goûtez mieux votre nourriture. En outre, il épuise vos réserves de potassium et peut causer de la rétention d'eau.
Sucre : la source la plus importante au monde de calories

vides. Il n'a absolument aucune valeur nutritive et il perturbe en plus le taux de sucre sanguin. Lisez bien les étiquettes des aliments car de nombreux mets «faibles en matières grasses» contiennent des quantités supplémentaires de sucre.

Tomate: est acide et peut indisposer certaines personnes.

LES PLANTES UTILES

Il existe tellement de plantes digestives qu'on vous pardonnera si vous ne voulez plus en entendre parler. Et pour dire la vérité, si vous avez une alimentation suffisamment équilibrée, vous n'en aurez guère besoin. Voici quand même une liste brève au cas où vous aimeriez en ajouter à votre cure détox.

Chardon-Marie: ce supplément a gagné en popularité au cours des dernières années, surtout comme tonique en cas de gueule de bois. En effet, il est connu pour ses capacités à diminuer les dommages occasionnés par l'alcool sur le foie. Dans le cas de la détoxication, il améliore le fonctionnement du foie en le protégeant des méfaits causés par les radicaux libres et les toxines, et en l'aidant à se régénérer. On peut l'acheter pour en faire des infusions, mais la préparation étant parfois compliquée et plutôt insipide, la plupart des gens préfèrent le prendre sous forme de capsules. Il faut mentionner que ce produit est relativement cher; essayez autant que possible d'en acheter en grosses quantités quand vous le trouvez en promotion.

Curcuma: l'épice que vous employez pour colorer vos currys est aussi une plante détoxifiante bien pratique. Le curcuma stimule la production de bile de la vésicule biliaire et on dit qu'il contribue à combattre les maladies du foie.

Griffe de chat : en général prescrite pour renforcer le système immunitaire, elle aide aussi à détruire les mauvaises bactéries dans les intestins.

Iris versicolore : connu comme un purificateur du sang, on le prescrit souvent aux personnes souffrant de problèmes de peau dus à un foie paresseux.

Patience crépue : cette plante est indispensable si vous souffrez de problèmes de peau liés à une mauvaise digestion et à un fonctionnement ralenti du foie.

Pissenlit : réputé pour ses propriétés digestives, il agit sur la vésicule biliaire en augmentant la sécrétion de bile, améliorant du même coup les capacités de l'organisme à transformer efficacement la nourriture. Il réduit aussi la toxicité à l'intérieur du foie, diminue la rétention d'eau, fait baisser la tension artérielle, et aide à rétablir un péristaltisme normal et donc à soulager la constipation. Pour toutes ces raisons, on recommande fortement le pissenlit comme plante de détoxication et on le trouve en général sous forme de café.

Racine de guimauve : recommandée si votre régime alimentaire avant la détoxication regorgeait d'aliments vides. Elle renferme des composés mucilagineux qui aident à réparer les dommages présents sur les muqueuses intestinales, souvent causés par une alimentation riche en produits transformés.

Varech : souvent recommandé pour le soin des cheveux car les cheveux, tout comme la peau, reflètent l'état interne de notre corps. Ce supplément aide à régulariser le métabolisme, ce qui est une bonne chose si le régime détox représente une modification radicale de vos habitudes alimentaires. Le varech vous aidera à éviter la « baisse de régime » associée à un changement soudain d'alimentation.

Véronique : recommandée pour les personnes souffrant de constipation. Comme c'est un laxatif naturel, elle ne devrait pas provoquer une trop grande déshydratation ; malgré tout, il faut l'employer avec modération.
Verveine : souvent prescrite aux personnes souffrant d'anxiété ou de stress, c'est un outil parfait de détoxication pour tous les gens qui subissent beaucoup de pression. Elle protège le foie en calmant les nerfs.

L'EAU

Boire de l'eau est indispensable si l'on veut réussir une cure détox. En fait, l'eau est indispensable si l'on veut réussir sa vie, alors ne vous en privez pas.

Environ les deux tiers du poids corporel sont composés d'eau, qui est constamment éliminée et qu'il faut donc remplacer. Nous perdons environ un tiers de litre d'eau par jour simplement par la respiration, et le reste par la sueur et les sécrétions.

Même si nous consommons de l'eau par le biais de notre alimentation, nous devrions en boire environ deux litres de plus par jour. Dans le meilleur des cas, la plupart d'entre nous parvenons à boire le tiers de cette quantité car les boissons comme le thé et le café ne comptent pas.

Quand vous suivez une cure détox, il est particulièrement important de boire de l'eau car il vous faut éliminer toutes les toxines. En buvant davantage, vous constaterez sans doute que vous avez moins de maux de tête et que vous souffrez moins de constipation. Même la rétention d'eau, souvent utilisée pour justifier de ne pas boire la quantité d'eau nécessaire, va diminuer.

Vous risquez de remarquer également que vous avez davantage d'énergie car la déshydratation est l'une des premières causes du manque de ressort, surtout chez les femmes. Durant les programmes d'entraînement, qu'il soit amateur ou de compétition, les sportifs s'arrêtent souvent pour renouveler leurs réserves hydriques.

Alors, buvez de l'eau !

La bonne nouvelle, c'est que vous n'avez pas besoin d'acheter de ces coûteuses eaux embouteillées. L'eau du robinet est tout aussi bonne pour vous. Si vous n'en aimez pas le goût, faites-la refroidir au réfrigérateur ou bien ajoutez-y une rondelle de citron et un ou deux glaçons.

Méfiez-vous cependant. Si vous remarquez des tâches bleuâtres dans votre évier sous le robinet, c'est peut-être le signe que votre eau contient beaucoup de cuivre. Le cuivre est très mauvais si on en absorbe en grandes quantités et on l'associe à la cirrhose du foie. Si vous avez un doute, communiquez avec la compagnie responsable de l'eau.

Pour la beauté du corps

Une cure détox ne vous revitalisera pas seulement de l'intérieur, elle vous embellira de l'extérieur. Une alimentation saine, riche en antioxydants et en vitamines, aura plus d'effet sur votre teint que la crème la plus chère offerte sur le marché. Mieux que ces pilules anticellulite très en vogue et hors de prix, elle raffermira les zones où vous avez remarqué que la peau était un peu flasque. Et beaucoup mieux même qu'un séjour de trois semaines dans l'établissement de remise en forme le plus chic du monde, elle vous donnera plus d'assurance et d'éclat.

Et vous aimeriez contribuer à ces améliorations, n'est-ce pas ?

C'est là qu'entrent en jeu frictions, gommages et massages. Leur absence ne compromettra pas votre cure détox mais leur ajout, par contre, vous permettra d'obtenir un résultat optimum.

Il convient d'abord de prendre des habitudes régulières. Si vous frictionnez vigoureusement votre visage une fois de temps en temps, vous ne faites que perturber son équilibre lipidique naturel et vous vous retrouvez avec des taches et des plaques sèches. Il est de loin préférable de nettoyer sa peau une fois par jour et d'appliquer un masque deux fois par semaine, pendant le bain car l'eau chaude dilate les pores. Voici quelques suggestions qui vous permettront d'élaborer, à votre guise, un programme de soins de beauté quotidiens et hebdomadaires.

LES CHEVEUX ET LE CUIR CHEVELU

Rien qu'en regardant vos cheveux, les trichologistes sont capables de vous dire exactement ce qui se passe à l'intérieur de votre corps. Si vos cheveux sont ternes, cassants ou s'ils ont tendance à tomber, c'est le signe que le fonctionnement de votre organisme laisse à désirer. Une cure détox contribuera à y remédier.

Pour revigorer votre cuir chevelu, essayez de pratiquer chaque matin cet exercice de yoga tout simple. Debout, les pieds écartés à la largeur des épaules et les jambes tendues (sans bloquer les genoux), levez les bras au-dessus de votre tête en gardant les doigts écartés. Penchez-vous lentement jusqu'à la hauteur de vos hanches - qui sont situées en haut de nos jambes, pas à la taille, comme nous avons tendance à le penser -, en gardant les bras tendus jusqu'à ce que vos doigts touchent vos tibias. Peut-être serez-vous capable de toucher le sol. En respirant lentement et profondément, comptez jusqu'à dix puis redressez-vous lentement. Répétez le mouvement une autre fois.

Cet exercice fait circuler le sang vers votre tête. Ce faisant, il stimule le cuir chevelu, favorise la pousse des cheveux et rend la chevelure plus vigoureuse et plus saine.

Vous pouvez aussi soigner votre cuir chevelu en faisant le dernier rinçage à l'eau froide. Cela permet en même temps de refermer les écailles des cheveux pour leur donner plus de brillance, ce qui est parfait si vous avez les cheveux fourchus. Vous pouvez aussi employer une infusion de romarin refroidie comme dernier rinçage, ce qui donnera de l'éclat même aux cheveux les plus ternes.

LE VISAGE

Pour votre visage, une épaisse couche de crème hydratante ne sera jamais aussi efficace qu'un petit automassage effectué sur une base régulière.

En réalité, la peau n'est capable d'absorber qu'une très petite quantité de tout ce que nous tartinons sur elle au quotidien car l'hydratation réelle doit provenir de l'intérieur. Pour que cela se produise, il importe de maintenir une bonne circulation sanguine ; un massage doux peut y contribuer.

Voici ce que vous pouvez faire lorsque vous vous débarbouillez le soir :

Après avoir appliqué votre démaquillant, posez le bout de vos doigts sur votre front et pressez doucement la peau en direction des sourcils. Massez ainsi pendant trois à cinq secondes, détendez-vous puis passez à la zone des yeux.

Autour des yeux, là où la peau est très délicate, massez doucement les orbites du bout des doigts en prenant soin de ne pas tirer la peau. Effectuez ce mouvement cinq fois dans un sens et cinq fois dans l'autre, absolument tous les jours. C'est un moyen efficace d'éliminer et de prévenir les poches sous les yeux.

Passez maintenant aux joues. Du bout des doigts, massez légèrement la peau à partir des ailes du nez en direction des fossettes.

Poursuivez avec les côtés de la bouche et terminez en pressant la peau le long du maxillaire inférieur.

Maintenant que vous l'avez bien fait pénétrer, enlevez

votre démaquillant à l'aide d'une débarbouillette imprégnée d'eau tiède. Cette opération dilatera les pores et aidera à éliminer les impuretés et le maquillage restants.

Aspergez-vous ensuite plusieurs fois le visage avec de l'eau froide jusqu'à ce que vous sentiez votre peau se resserrer à mesure que les pores se referment. Cette opération stimule l'épiderme en activant la circulation.

Appliquez une crème hydratante, avec modération, en particulier autour des yeux car si vous en mettez trop, ils vont avoir l'air bouffis, exactement l'inverse de ce que vous voulez obtenir.

Le gommage est indispensable car il permet d'éliminer les cellules de peau mortes et laisse votre teint clair et lisse. Choisissez un masque doux et employez-le sur une base régulière, de préférence deux fois par semaine.

Les masques servant en même temps de gommage gagnent en popularité. Ils sont excellents car ils permettent en une seule opération d'éliminer l'excédent de gras, les impuretés accumulées ainsi que les cellules de peau mortes.

LE CORPS

À mesure que vous vous détoxiquez, vous remarquez que la peau sur tout votre corps devient d'elle-même plus douce. Cela vient du fait qu'un régime alimentaire sain, tel que suivi pendant une cure détox, évite à votre organisme d'être congestionné, un état qui se traduit par une peau rêche et une mauvaise circulation.

Pour augmenter encore les bienfaits, prenez l'habitude d'effectuer un gommage corporel sur une base régulière. Certains adeptes de cette opération préconisent des frictions quotidiennes ; si vous vous y tenez, deux fois par semaine suffiront amplement.

Les frictions à sec – telles que recommandées par Bridget Jones dans son célèbre journal – seraient apparemment la meilleure méthode pour se débarrasser des cellules mortes. Pour les effectuer, vous aurez besoin d'une brosse propre, faite de soies naturelles.

Avant de prendre un bain ou une douche, frictionnez votre peau en mouvements longs et balayants. Commencez par la plante des pieds, remontez le long des tibias, des cuisses, des fesses et du ventre, en frottant toujours en direction du cœur. N'oubliez pas les bras et les épaules, en frottant également en direction du cœur.

La plupart des gens trouvent les frictions à sec très désagréables au début mais on s'y habitue. Veillez à ne pas frotter trop fort car le but de l'exercice n'est pas de vous retrouver avec la peau couverte de zébrures.

Après la douche, appliquez un hydratant corporel sur tout votre corps, en insistant sur les coudes, les genoux et les talons, là où la peau est la plus sèche. En massant pour faire pénétrer l'hydratant, vous stimulez la circulation sanguine ; il importe donc de prendre son temps et de le faire convenablement. Après quoi, buvez un grand verre d'eau car l'épiderme perd de son hydratation pendant un bain ou une douche.

Si les frictions à sec vous dérangent, frictionnez-vous le corps dans le bain ou sous la douche, toujours en prenant soin de bien l'hydrater par la suite.

Vous pouvez confectionner un gommage corporel, qui éliminera l'étape de l'hydratation, en mélangeant des cristaux de sel de mer et de l'huile d'olive. Versez un peu de sel dans la paume de votre main, ajoutez-y une dose équivalente d'huile et appliquez le mélange directement sur la peau. La rugosité du sel adoucit la peau tandis que l'huile y adhère et la laisse satinée. Vous pouvez préparer d'avance le mélange moitié-moitié ou bien garder un pot de sel et une bouteille d'huile près de la baignoire.

Contrairement à de nombreux gommages corporels, celui-ci n'est pas parfumé, ce qui est idéal pour les peaux sensibles... et pour les hommes !

DES BAINS SUBLIMES

Le moment du bain ne devrait pas représenter trop de travail. On trouve sur le marché une profusion de préparations détox pour le bain, la plupart composées d'extrait d'algues et destinées à éliminer les poisons de l'organisme. En règle générale, elles sont efficaces, ne serait-ce que grâce à l'action naturelle de l'eau chaude et de la vapeur sur le corps.

Prenez garde de ne pas utiliser de l'eau trop chaude car elle déshydraterait inutilement votre épiderme. Essayez de garder l'eau à la température du corps.

Pour en augmenter encore les bienfaits, prenez une série de respirations pendant que vous êtes dans votre bain.

Nous respirons pratiquement tous d'une manière superficielle, c'est-à-dire que nous n'utilisons pas nos poumons à leur pleine capacité et nous n'inspirons pas suffisamment d'oxygène pour maintenir à niveau le taux d'oxygénation du sang. Il en résulte une mauvaise circulation qui se traduit le plus souvent par des mains et des pieds froids ainsi que par un manque de tonicité de la peau.

Prenez une profonde, très profonde, inspiration à l'instant même, une inspiration si profonde que l'espace sous votre cage thoracique augmente de volume et observez les effets immédiats de cette inspiration sur l'ensemble de votre corps, jusqu'à vos orteils. Si vous ressentez des picotements, c'est bon signe : votre circulation a reçu un petit apport d'oxygène.

Nous respirons de manière superficielle en raison de notre style de vie. Quand nous sommes stressés, nous prenons des respirations courtes et superficielles et cette mauvaise habitude s'étend aux périodes où nous ne sommes pas stressés. Ce qui nous fait pousser des soupirs dans ces moments-là, c'est le besoin pour l'organisme d'aspirer davantage d'air.

Quand nous respirons profondément, c'est la zone située sous la cage thoracique, c'est-à-dire le diaphragme, qui devrait se soulever, pas la poitrine. Allongé dans la baignoire, posez votre main sur votre diaphragme et pratiquez votre respiration afin de sentir cette zone se soulever et s'abaisser à chaque respiration.

Prenez en tout dix respirations.

En plus de vous permettre d'inhaler les divins effluves de votre bain moussant détoxifiant, cet exercice accélérera l'élimination des toxines et ralentira votre rythme cardiaque. Après quoi, vous pourrez vous attendre à avoir un sommeil reposant.

Les sels d'Epsom sont conseillés comme bain détoxifiant. Ils se vendent dans la plupart des pharmacies et des magasins de produits naturels, et ils sont en général moins chers que les sels de bain détoxifiants des grandes marques.

Ils sont très riches en magnésium mais il vous faudra quand même en mettre au moins 75 g par bain pour parvenir à éliminer les toxines de l'organisme.

Après votre bain, qui ne devrait pas durer plus de 20 minutes, gardez-vous au chaud et ne prévoyez pas pratiquer une activité physique ou mentale énergique. Dormir est la meilleure des options.

ET UN BON SOMMEIL

Le sommeil est le traitement de beauté et de santé le moins cher qui soit et si vous en manquez, vous vieillirez rapidement, votre système immunitaire s'affaiblira, votre concentration et votre mémoire diminueront, et vous vous sentirez terriblement mal. Vous ai-je convaincu?

Le meilleur sommeil est celui qui est régulier. Huit ou dix heures par nuit, ça n'a pas d'importance pourvu que vous vous couchiez et leviez à peu près à la même heure – à 15 minutes près – tous les jours.

La grasse matinée typique des fins de semaine ne vous fait aucun bien. En dormant plus longtemps le samedi et peut-être même le dimanche matin, vous pensez pouvoir rendre à votre organisme le sommeil perdu à cause de plusieurs soirées où vous avez veillé tard. En réalité, si vous avez manqué de sommeil, une ou deux heures de plus la nuit suivante suffisent. Tout sommeil supplémentaire est une perte de temps.

Si vos habitudes de sommeil sont un peu irrégulières, efforcez-vous graduellement de les régler en ajoutant ou en retranchant des blocs de 15 minutes soit le matin soit le soir. Au bout d'un certain temps, vous constaterez que vous êtes en mesure d'aller vous coucher à une heure précise et de vous réveiller frais et dispos.

Le sommeil est vital pour la santé, surtout quand vous vous imposez une cure détox car c'est le seul moment où l'organisme peut s'occuper de l'entretien essentiel. C'est pendant le sommeil que vos cellules se régénèrent et que les tissus se réparent, ce qui explique que, à la suite d'un accident ou d'une maladie, on ressente le besoin de dormir pendant de nombreuses heures.

La régularisation de vos heures de sommeil devrait faire disparaître la plupart des problèmes d'insomnie. Si vous continuez malgré tout à avoir de la difficulté à vous endormir, voici quelques conseils :

Dormez dans la noirceur

Votre corps réagit vivement à la lumière. Cette caractéristique essentielle est destinée à permettre à l'organisme humain d'être exposé le plus possible à la lumière du jour. En présence de lumière, donc, le corps croit qu'il doit être éveillé. C'est ce qui explique que les matins d'été ensoleillés, nous nous réveillons naturellement plus tôt et que nous avons du mal à nous endormir si nous avons laissé la lampe de chevet allumée. Des études laissent supposer que le fait de dormir avec de la lumière peut diminuer la concentration d'un enfant le lendemain ; essayez donc d'habituer aussi vos enfants à se passer de veilleuse.

Gardez votre chambre peu encombrée

Le feng shui recommande qu'une chambre soit fraîche et peu encombrée, pas un capharnaüm rempli de peluches et de meubles presque jamais utilisés. Le raisonnement est le suivant : si votre chambre est encombrée, votre esprit le sera aussi. Déblayez donc la chambre où vous dormez, réduisez le nombre de cadres et placez, si possible, le lit de façon à ne pas voir par la porte. Le monde extérieur – fût-il votre modeste corridor – vous distraira et vous empêchera de dormir.

Prenez un bain

Quand vous sortez d'un bain chaud, votre corps réagit exactement de la même façon que lorsqu'il plonge dans le sommeil. Il abaisse sa température et le rythme cardiaque ralentit. Prenez un bain juste avant de vous coucher et vous vous préparerez ainsi au sommeil.

Remarque : un bain très chaud, en revanche, vous rendra encore plus agité.

Faites de l'exercice

Ne pratiquez aucun exercice physique intense deux heures avant de vous coucher. Par contre, une marche modérée effectuée dans la soirée contribuera à calmer vos nerfs. Une activité physique pratiquée plus tôt au cours de la journée vous aidera à dormir car elle éliminera votre stress.

Dormez sur le côté gauche

Les intestins seront alors placés dans la meilleure position pour effectuer leur travail. Dormir sur le côté, la tête soutenue, est la meilleure position pour la colonne vertébrale alors que dormir sur le ventre ou sur le dos ne fait qu'accentuer de manière artificielle sa courbure et provoque bien souvent des maux de dos.

Le programme détox de sept jours

Ce programme de sept jours est conçu pour retrouver une hygiène de vie saine plutôt que pour servir de stratégie à long terme. Si vous sentez que vous êtes bourré de toxines, vous pouvez envisager un jeûne total mais, à moins d'être en parfaite santé, ce n'est guère recommandé. Si vous buvez beaucoup d'eau, vous constaterez que vous éliminez quand même des toxines très rapidement.

Au début, vous risquez de vous sentir plus fatigué qu'à l'accoutumée. Persévérez. Prenez un bain et couchez-vous de bonne heure : votre énergie finira par revenir. Si vous le pouvez, casez quelques exercices dans votre emploi du temps également durant la semaine.

Mangez quand et dès que vous avez faim et évitez de prendre des repas copieux. Vous n'avez toutefois pas besoin de rester pendant de longues périodes sans manger. De toute manière, vous allez sans doute perdre quelques livres simplement par le fait que votre diète comprend beaucoup de fruits et de légumes crus qui sont à la fois nourrissants et peu caloriques.

N'oubliez pas d'inclure dans votre alimentation le poisson comme source de protéines et de gras oméga-3 ainsi que l'huile d'olive pour vous procurer les acides gras essentiels. Si vous avez certaines craintes, prenez un supplément de multivitamines pour garantir que vos besoins nutritionnels sont comblés. Un supplément d'huile de foie de morue est également recommandé.

Vous constaterez que vous allez plus souvent à la selle ; dans certains cas, trois fois plus souvent par jour. Sauf si les selles s'accompagnent de symptômes autres, tels que douleurs, diarrhée ou sang, il n'y a pas de quoi s'inquiéter.

L'idéal, c'est de choisir une semaine où vous êtes en congé ou bien une où vous n'avez pas trop de travail et de commencer un samedi. Au réveil, chaque matin, buvez une tasse d'eau chaude additionnée de jus de citron. L'eau chaude se rend directement dans les intestins et stimule leur fonctionnement. Elle est également excellente pour débloquer les sinus. Si vous en avez le temps, buvez cette eau une demi-heure avant le petit déjeuner pour que votre organisme ait la chance de se mettre en route avant de recevoir toute nourriture.

Remarque : Si vous êtes allergique à l'un ou l'autre des aliments énumérés ci-après, éliminez-le complètement. Votre corps ne le supportera pas mieux qu'auparavant, simplement parce qu'il est en train de se détoxiquer.

SEMAINE 1

Les aliments à éviter

Le mot clé de ce programme de sept jours est le nettoyage. Votre objectif est d'aider votre foie à fonctionner à plein régime. Pour y parvenir, vous allez apporter des modifications à votre nutrition et, par conséquent, vous allez éliminer tout aliment risquant d'entraver le fonctionnement de cet organe.

Le pain ordinaire est donc retiré du menu même si vous pouvez manger du pain fait sans levure, blé, millet, avoine, orge, seigle ou son. La levure est exclue car elle aggrave la candidose, une affection causée par un excès de *Candida albicans* dans les intestins. Quant au blé et aux produits du même type, ils sont souvent à l'origine d'allergies alimentaires, dont un grand nombre n'est même pas connu.

Les galettes de riz constituent une alternative étonnamment substantielle.

Les produits laitiers fermentés comme le fromage et le yogourt risquent aussi d'activer la candidose ; ils sont donc également exclus. Remplacez-les par du lait de soja ou de riz, de préférence enrichi en calcium, un minéral tout aussi essentiel pour les adultes qu'il l'est pour les enfants en période de croissance.

Assurez-vous de manger au moins un œuf un jour sur deux, ainsi que des aliments tels les pois, les lentilles et les graines si possible tous les jours afin de compenser les nutriments perdus.

Il faut aussi exclure du menu les champignons, de même que les fruits secs et les jus de fruit préemballés tandis que les jus frais pressés conviennent.

Si vous évitez ces aliments et augmentez votre ingestion d'aliments bons pour le foie, celui-ci sera en mesure de produire davantage de bile et par conséquent de régulariser le taux de *Candida albicans*.

Les graisses animales et les graisses végétales telles les huiles de copra et de palme n'ont pas leur place en raison de la surcharge qu'elles imposent au foie. Préférez-leur de l'huile d'olive ou une huile de tournesol de bonne qualité.

Le sucre, l'alcool, la caféine et le sel sont aussi proscrits durant cette semaine.

Les aliments à inclure

Si les produits de base de votre alimentation sont du pain, du beurre et du thé – et le nombre de personnes dans cette situation est surprenant – la lecture de la liste cidessus a dû être accablante.

Toutefois, il existe une foule d'aliments sains et vous serez surpris de leur variété, même dans le cadre de cette semaine de détoxication intense.

Bien entendu, les fruits sont plus que les bienvenus. De préférence, achetez-les frais et de saison même si les fruits conservés dans du jus de fruits constituent une alternative acceptable, si vous êtes dans l'impossibilité d'acheter des frais.

Si vous n'êtes pas un grand amateur de fruits, achetez-vous une centrifugeuse pour faire des jus maison.

Les légumes aussi sont excellents. Visez deux ou trois grosses portions de légumes verts à feuilles par jour et limitez les légumes racines comme les pommes de terre à une seule petite portion quotidienne.

Les légumes secs sont une excellente source de protéines. On devrait en manger régulièrement. Si vous n'avez pas l'habitude d'en consommer, il se peut que vous les trouviez difficiles à digérer au début. Commencez par de petites portions, mastiquez-les bien et veillez à ce qu'ils soient suffisamment cuits. Ces quelques précautions devraient résoudre le problème tant redouté des gaz !

Les huiles de tournesol et d'olive conviennent en petites quantités et elles servent à préparer d'excellents sautés.

Les noix, comme les noix du Brésil, les noix de cajou et les amandes, sont délicieuses et très nourrissantes. Par contre, elles sont aussi très grasses, alors n'en abusez pas. Une poignée par jour suffit. Les graines de tournesol et de citrouille sont également conseillées.

La volaille convient durant cette semaine, à condition qu'elle soit maigre, non fumée et que vous ne la fassiez pas carboniser sous le gril. Si possible, optez pour de la volaille biologique, ce qui garantit une viande non contaminée.

Du poisson frais, non fumé, constitue un autre aliment santé, bien qu'il faille en retirer la peau qui est très grasse. Le poissonnier peut le faire pour vous.

Tel qu'il a été mentionné dans le premier chapitre, le riz complet nettoie l'organisme ; vous devriez donc l'inclure dans votre programme de sept jours. Le riz soufflé est un excellent choix au petit déjeuner.

Et n'oubliez pas les fameux œufs.

Les jus

Un des outils les plus pratiques d'un programme détox, c'est une centrifugeuse. Grâce à cet appareil, vous pourrez vous préparer une boisson gorgée de vitamines en un rien de temps.

Cette technique permet aussi de rendre des fruits et des légumes plus agréables au goût sans avoir besoin de les faire cuire, ce qui engendre inévitablement une perte nutritive, ou de les inonder de sel ou de sucre.

Même lorsque vous n'êtes pas en cure détox, les jus maison constituent un excellent moyen de consommer les cinq portions quotidiennes de fruits et légumes recommandées par l'Organisation mondiale de la santé... d'autant plus si vous vous refusez à croquer toute la journée pommes et céleri.

Néanmoins, si vous n'avez pas l'habitude de manger beaucoup de fruits et de légumes, ne vous emballez pas trop avec les jus. Ballonnements et aérophagie ont un effet dissuasif certain quand on essaie d'améliorer son comportement alimentaire.

Un jus maison par jour suffit, auquel vous ajouterez par la suite une ou deux portions de légumes puis une autre petite portion de fruits.

Les carottes, les pommes et la betterave cuite, mais pas marinée, vont bien ensemble, ainsi que les oranges avec un trait de citron.

Pour préparer un jus, lavez simplement les aliments comme d'habitude, pelez-les au besoin, coupez-les en gros morceaux et mettez le tout dans la centrifugeuse.

Des suggestions sont données dans la section de recettes.

Les suggestions de repas suivies d'un astérisque sont décrites dans la section des recettes.

Suggestions pour le petit déjeuner

- Riz soufflé (la variété sans sucre ajouté) parsemé de quelques graines de citrouille, avec une pomme coupée en morceaux et du lait de riz ou de soja
- Œuf dur servi avec des galettes de riz
- Œufs brouillés au gingembre*
- Muesli maison*

Suggestions pour le dîner et les en-cas

- Houmous maison servi avec des crudités*
- Soupe de carottes au miel et au gingembre*
- Potage aux navets et aux pommes*

- Soupe de lentilles express*
- Pommes de terre en robe des champs avec thon (en saumure et bien égoutté) et salade
- Salade de riz (composée d'une portion de riz complet cuit dans un peu de bouillon pour lui donner du goût, des poivrons et des oignons hachés et une poignée de noix de cajou non salées)
- Sauté de germes de soja*
- Brocoli amandine*

Suggestions pour le repas principal

- Risotto aux noix de cajou*
- Omelette aux pommes de terre persillée*
- Dhal épicé aux lentilles*
- Méli-mélo de légumes*
- Salade niçoise*
- Desserts
- Flan aux pommes*
- Crème à la banane et aux amandes*
- Poires au four*

Exemple de journée détox

Au lever

Au lever, buvez de l'eau chaude additionnée de jus de citron. Profitez que vous êtes à jeun pour effectuer quelques étirements simples. Ils favoriseront la circulation sanguine et éclairciront votre peau.

Commencez par effectuer l'étirement décrit dans le paragraphe traitant des cheveux et du cuir chevelu, au chapitre précédent.

Le triangle

Placez-vous ensuite, les pieds écartés d'environ 1 mètre, le pied droit pointé vers la droite et le pied gauche pointé vers l'avant. Levez les bras de sorte qu'ils forment une ligne droite parallèle au sol.

Prenez une profonde inspiration et, en expirant, amenez votre main droite vers votre cheville droite de sorte que votre bras gauche, toujours aligné avec le droit, pointe vers le plafond.

Tournez la tête en direction de votre main gauche et gardez cette position pendant cinq secondes.

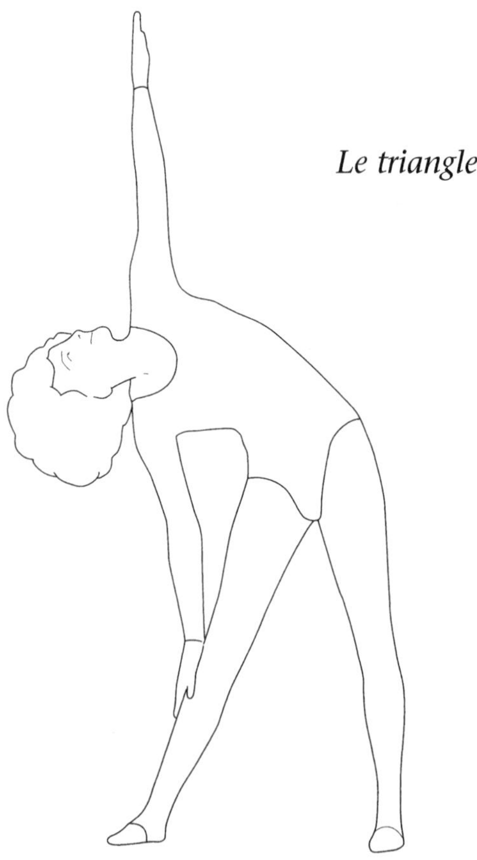

Le triangle

Redressez-vous et répétez de l'autre côté.

Cet exercice constitue un bon étirement pour la colonne vertébrale.

Tenez-vous maintenant les pieds joints, les bras étendus devant vous et les doigts entre-croisés.

Placez votre pied droit à environ 50 cm en arrière et, tout en gardant votre jambe gauche pliée et votre jambe droite bien tendue, étirez-vous en fléchissant en même temps les bras.

Répétez de l'autre côté.

Cet exercice est excellent pour étirer les muscles des mollets et des bras.

Étirement du jarret

Remettez-vous les pieds joints. En vous aidant des bras, amenez votre genou droit vers votre poitrine. Répétez l'exercice de l'autre côté, cinq fois en tout de chaque côté.

Cet exercice étire la cuisse et le jarret (l'arrière du genou).

La montagne

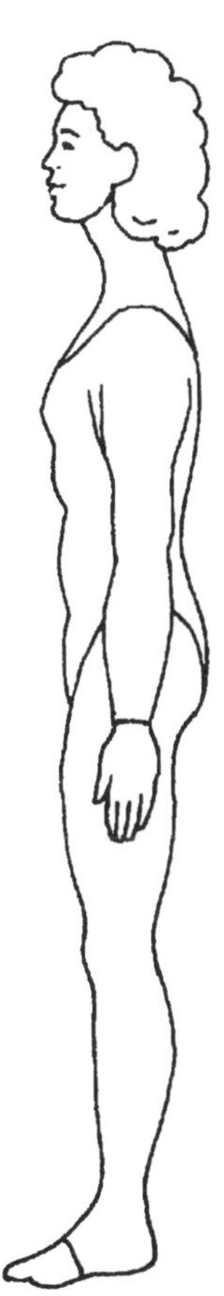

La montagne

Pour terminer, tenez-vous droit, les bras le long du corps et imaginez que votre tête est attachée au plafond par un fil invisible. Inspirez et expirez profondément et goûtez le plaisir de cette position de yoga, à la fois élémentaire et agréable, appelée la posture de la montagne.

Prenez un moment pour réfléchir aux raisons qui vous poussent à suivre une cure détox ainsi qu'aux buts visés par cette cure.

Petit déjeuner

Œuf dur servi avec des galettes de riz.

Dans la matinée

Préparez du houmous et servez-le avec de la salade ou des galettes de riz, ou les deux.

N'oubliez pas qu'il ne s'agit pas là d'une cure d'amaigrissement et qu'il n'est donc pas nécessaire de lésiner sur les portions. Mangez autant que vous le voulez et savourez bien ce que vous mangez.

Dîner

Soupe de carottes au miel et au gingembre, faite maison. Faites suivre d'une pomme, d'une poire ou d'une poignée de baies.

Dans l'après-midi

Prenez un café de racine de pissenlit ou une infusion de menthe. Si vous avez faim, mangez une ou deux galettes de riz ou une poignée de graines et de noix.

Veillez à boire beaucoup d'eau et ne vous inquiétez pas si vous vous sentez un peu ballonné. C'est l'association des fibres contenues dans les légumes et de l'augmentation de votre consommation d'eau qui produit cet effet. Ne buvez tout de même pas trop d'eau au point de vous sentir « noyé » et d'avoir des malaises.

Une heure après votre collation de l'après-midi, le

moment est idéal pour faire quelques exercices d'aérobic, d'autant plus que ce moment coïncide en général avec la fin de la journée de travail.

Vous pourriez opter pour une marche sur tapis roulant de 15 minutes ou bien 20 minutes de bicyclette stationnaire. Si vous êtes gêné, attendez d'être rentré chez vous, faites jouer un disque de musique au rythme endiablé et dansez énergiquement pendant 20 minutes. Un exercice n'a besoin d'être ni ennuyeux ni répétitif pour être efficace.

Après quoi, prenez une douche brève pour activer votre circulation et n'oubliez pas de boire de l'eau pour renouveler vos réserves hydriques.

Souper

Poisson blanc et ratatouille, accompagnés de riz complet. Hachez une courgette, un poivron et un oignon et faites-les revenir un peu dans une grosse cuiller d'huile d'olive. Servez les légumes avec un filet de poisson blanc, poché ou grillé, et une portion de riz complet.

Collation durant la soirée

Une tasse d'infusion de gingembre (qui réchauffe) et une petite poignée de noix du Brésil qui sont riches en sélénium et censées être efficaces pour combattre la déprime.

Prenez un bain détoxifiant, pendant une vingtaine de minutes, puis mettez-vous au lit, vous l'avez bien mérité.

Ce programme ne constitue qu'un exemple de journée détox dans le cas où vous suivez un programme de sept jours rigoureux.

Au bout d'une semaine, vous constaterez un changement profond dans la tonicité de votre peau de même qu'au plan de votre vitalité, vous irez plus régulièrement à la selle et vous aurez éventuellement perdu une ou deux livres.

Essayez d'éviter de célébrer votre victoire en prenant un souper copieux et en passant la soirée dans un club.

Préparez-vous plutôt un repas santé et octroyez-vous une récompense en buvant tout au plus deux verres de vin rouge. Une cure détox n'aura aucun effet durable si vous reprenez aussitôt toutes vos mauvaises habitudes.

SE DÉTOXIQUER À PLUS LONG TERME

Lorsque vous aurez constaté que l'expérience de se détoxiquer n'est pas aussi éprouvante qu'il y paraît et que tous ses bienfaits valaient leur pesant de betteraves, quelle sera l'étape suivante?

Il n'y a pas de secret: si vous reprenez tout de suite toutes vos mauvaises habitudes, vos petits malaises réapparaîtront rapidement et vous serez de nouveau en mauvaise forme.

Mais, d'un autre côté, si vous suivez continuellement la cure détox rigoureuse de sept jours, cela ne vous rendra pas non plus service. Bien au contraire, puisqu'un régime aussi sévère pourrait même vous causer des problèmes de santé irréversibles.

La solution consiste donc à réintroduire graduellement dans votre alimentation, au cours de la semaine, divers aliments tout en respectant les bonnes habitudes que nous vous rappelons ici.

Les bonnes habitudes

- Boire suffisamment d'eau: 2,5 litres par jour
- Cinq portions de fruits et de légumes frais par jour, tous les jours
- Mangez quand vous avez faim, pas avant

- Pas de café, de boissons gazeuses, de thé et de chocolat chaud
- Des gras oméga-3, trois fois par semaine
- Très peu ou pas d'alcool
- Aucun sucre ajouté
- Aucun sel ajouté

En supposant que vous avez suivi la cure détox de sept jours, voici un aperçu des semaines suivantes.

SEMAINES 2 ET 3

Les aliments à inclure

Désormais, vous pouvez réintroduire le millet, l'orge et le seigle. Vous pouvez faire du pain mais sans levure. Vous pouvez aussi manger des biscuits de seigle et des pâtes faites de farine de seigle. Abstenez-vous encore de blé et de maïs pendant une ou deux semaines.

Le sarrasin constitue une bonne alternative car il est très nourrissant.

Le gruau donne un petit déjeuner dépuratif et très nourrissant.

Le yogourt et le fromage conviennent, mais limitez-vous encore aux variétés à base de lait de chèvre et de brebis.

Suggestions pour le petit déjeuner

Muesli

(125 ml de lait de riz ou de soja et 3 cuillers à table de flocons de millet. Laissez tremper pendant dix minutes. Incorporez une petite poignée de graines de tournesol, une petite poignée de graines de citrouille et une pomme ou une poire coupée en morceaux. Garnissez de yogourt nature.)

Gruau accompagné de compote de pommes ou bien de miel

Yogourt nature servi avec une pomme ou une poire coupée en morceaux et parsemé de quelques graines de citrouille

Yogourt frappé

(composé de fruits frais coupés en morceaux, d'une portion de yogourt et d'une poignée de glaçons, le tout passé au mélangeur.)

Suggestions pour le repas principal

- Pain de riz et de sarrasin*
- Ragoût de haricots blancs à la tomate*
- Pain de noix*
- Poivrons farcis*
- Salade au chèvre (accompagné de galettes de riz, de verdure et de basilic frais. Pour une petite touche supplémentaire, placez un peu le fromage sous le gril avant de servir.)
- Orge braisée aux légumes*
- Desserts
- Crumble aux bananes*
- Yogourt glacé*

SEMAINES 4 ET 5

Les aliments à inclure

Ce n'est qu'à ce stade-ci que vous pouvez réintroduire le blé et le maïs. Si toutefois cet ajout s'accompagnait de malaises, il serait temps d'en aviser votre médecin traitant et de parler avec lui d'éventuelles allergies alimentaires.

Rappelez-vous que le fait d'avoir envie d'un aliment ne veut pas dire qu'il est obligatoirement bon pour vous. Songez à tous les gens qui ont envie de boire des alcools forts !

Abstenez-vous de levure la semaine 4 mais ajoutez-la pendant la semaine 5. Là aussi, surveillez les effets secondaires. Puisqu'on parle ici de réintroduction du pain, essayez de toujours vous en tenir à du pain complet. Vous avez parcouru un tel chemin qu'il serait dommage de revenir en arrière.

Les champignons sont de retour au menu, de même que quelques fruits secs si vous en avez envie.

Le lait de vache peut également réapparaître mais optez, si possible, pour du lait demi-écrémé. Vous pouvez aussi consommer, bien qu'avec (beaucoup de) modération, du beurre non salé biologique.

La viande rouge biologique peut elle aussi refaire son apparition dans votre assiette.

Suggestions pour le petit déjeuner

- Pilaf de poisson aux œufs durs*
- Pommes de terre sautées santé*
- Muffins au maïs*

Les plats principaux

- Terrine de poisson blanc*
- Champignons et noix de cajou à la Stroganov*
- Pennes complètes au pesto et aux tomates cerises*
- Agneau au romarin*

Le week-end revigorant

Une cure détox de deux jours ne changera pas votre vie. Vous ne rentrerez pas chez vous le vendredi en vous sentant trop gros et déprimé et ressusciterez le lundi matin en ayant l'impression d'être un top model, ni en lui ressemblant d'ailleurs. Si seulement c'était aussi simple !

Vous aurez malgré tout retrouvé un peu de ressort, vous vous sentirez mieux et vous aurez meilleure mine. Vous retirerez également des bienfaits de la nature égoïste d'un tel programme.

Beaucoup d'entre nous – et surtout les femmes – nous accordons rarement du temps pour nous-même. Même lorsque nous envisageons un plaisir, c'est en général pour notre famille, notre partenaire ou bien nos amis.

Cette fois-ci, le plaisir sera pour vous et rien que pour vous. Faites donc en sorte d'exploiter ce week-end au maximum, sans avoir besoin de vous ruiner en réservant un séjour dans un centre de santé.

Avant tout, allégez votre emploi du temps. N'apportez aucun travail à la maison, ne prévoyez aucune sortie le samedi soir, ne pensez pas une seule seconde à nettoyer la salle de bains ou à repeindre la chambre d'amis.

Si vous êtes marié(e) et avez des enfants, essayez de convaincre votre conjoint(e) de les emmener une journée ou, mieux encore, tout le week-end.

Si, par contre, vous devez aller chez le coiffeur ou l'esthéticienne, et que vous savez que l'expérience sera agréable, ne vous en privez pas et prenez un rendez-vous.

Jane Clarke, une diététiste qui a écrit des livres sur la nutrition, suggère d'acheter un stock de vos magazines préférés et un ou deux livres de vos auteurs favoris. Ajoutez à cela quelques produits de beauté que vous vouliez essayer depuis longtemps et vous aurez tout ce qu'il faut pour vous distraire.

Il est également conseillé de faire une réserve de fruits, de légumes et d'herbes aromatiques frais ainsi que de citrons et de limettes qui sont excellents pour relever les boissons et assaisonner les salades.

Une fois votre garde-manger et votre réfrigérateur approvisionnés en bons aliments et en verdure, vous êtes prêt à vous lancer.

N'oubliez pas, le cas échéant, de brancher le répondeur.

VENDREDI SOIR

Vous terminez une autre semaine très chargée et vous rêvez d'un gin tonic et d'une cigarette. Dommage, mais si vous succombez à ce besoin, votre week-end revigorant se terminera avant même d'avoir commencé.

Si vous associez une trop grande quantité d'alcool, un repas à emporter et une nuit à veiller tard, votre week-end servira à vous en remettre. Quand on boit beaucoup d'alcool, il faut énormément de temps pour récupérer car, quoi que l'on fasse, l'organisme est incapable de traiter plus d'une unité (soit 250 ml de bière blonde ou un petit verre de vin) à l'heure.

Les athlètes savent qu'il leur faudra au moins trois jours pour retrouver leur forme complète après avoir bu, ne serait-ce qu'avec modération, alors imaginez les conséquences que plusieurs vodkas coca-cola auront sur vos objectifs santé.

Bien des gens n'aiment pas leur emploi ou bien ils vivent beaucoup de stress dans leur milieu de travail. Il peut en résulter des problèmes d'alcoolisme, le tabagisme, un manque d'activité physique et de l'insomnie. Seules les personnes vraiment fortes physiquement et moralement sont en mesure de gérer un tel stress sans que leur santé n'en souffre.

En dehors de toutes ces considérations et même si votre patron a beaucoup crié sans raison après vous durant la semaine ou si la semaine prochaine s'annonce mouvementée, promettez-vous de profiter de ce week-end pour briser le cycle infernal du stress.

Aussitôt arrivé à la maison, changez-vous.

Le fait de se débarrasser de nos habits de travail et d'enfiler des vêtements amples et confortables permet de faire une coupure psychologique importante entre la journée et la soirée. En mettant des vêtements neutres, et éventuellement en enlevant maquillage et bijoux, vous signalez à votre personne que le temps n'appartient désormais qu'à vous-même.

Si vous vous sentez encore tendu, ce qui est le cas pour la majorité d'entre nous, isolez-vous dans une pièce, de préférence peu encombrée, allumez une bougie et préparez-vous à faire quelques exercices de yoga qui prendront une dizaine de minutes.

Dix minutes de yoga

Disposez un tapis sur le sol. Vous pouvez acheter un tapis de yoga à peu de frais dans les magasins d'articles de sport. Vous pouvez aussi le remplacer par une couverture épaisse pliée en deux. Si cette pièce a un plancher en bois nu, utilisez deux couvertures car il vous faut protéger votre colonne vertébrale quand vous vous allongez et vos genoux quand vous vous agenouillez.

1. Le coup de tonnerre

Asseyez-vous sur les talons, le dos bien droit. Gardez la tête droite comme si elle était attachée au plafond par un fil invisible et gardez vos épaules détendues mais pas tombantes.

Posez vos mains à plat sur vos cuisses.

Dès que vous vous sentez à l'aise, fermez les yeux et

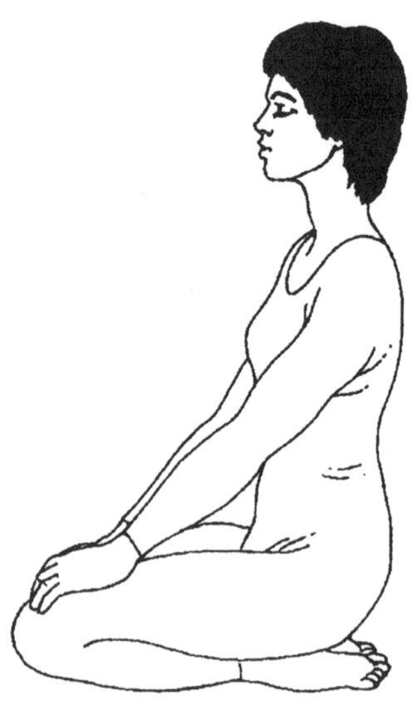

Le coup de tonnerre

prenez une profonde inspiration pour sentir votre diaphragme se dilater. Retenez votre souffle une seconde puis expirez lentement par les narines plutôt que par la bouche.

Répétez l'exercice dix fois, avec lenteur, en vous imaginant que chaque inspiration est une colonne d'air pur et que chaque expiration est un nuage gris formé de toxines issues de vos poumons.

Au bout de dix fois, ouvrez les yeux et, quand vous le désirez, levez-vous.

2. La demi-lune

Les pieds écartés de la largeur des épaules et les bras le long du corps, prenez une profonde inspiration puis expirez lentement.

Inspirez encore et, cette fois-ci, levez les bras au-dessus de votre tête jusqu'à ce que les bouts de vos doigts se touchent et que le haut de vos bras effleure vos oreilles.

La demi-lune est un étirement excellent pour le dos.

Prenez une autre profonde

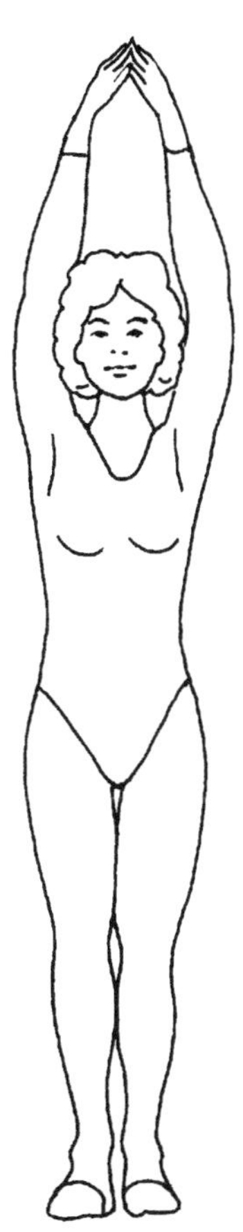

La demi-lune

inspiration et, en expirant, penchez-vous vers la droite jusqu'à la hauteur de votre taille en gardant vos bras dans la même position. Vous sentirez l'étirement au niveau de votre dos, de votre taille et de l'extérieur de votre cuisse.

Gardez la position aussi longtemps qu'elle vous est confortable puis répétez de l'autre côté. Répétez la séquence trois fois.

Penchez-vous maintenant en avant jusqu'à la hauteur des hanches, toujours en expirant, en rapprochant votre poitrine aussi près que possible de vos genoux. Il est important d'effectuer l'exercice très lentement ; c'est là le secret du yoga. Si vous l'effectuez rapidement, vous risquez de vous étirer un muscle ou un tendon et de vous

Le guerrier

sentir dans un pire état que quand vous avez commencé.

Gardez la position aussi longtemps qu'elle vous est confortable puis, en expirant, redressez-vous lentement, sans à-coups.

3. Le guerrier

Laissez maintenant vos bras pendre le long de votre corps, les épaules détendues mais pas tombantes et la tête droite. Placez vos pieds à environ un mètre l'un de l'autre, les orteils dirigés vers l'avant.

Levez les bras de manière à ce qu'ils soient droits et parallèles au sol et tournez-vous vers la droite. En même temps, pointez votre pied droit vers la droite et penchez-vous vers ce genou jusqu'à ce que votre cuisse droite soit parallèle au sol et que le mollet droit fasse un angle droit avec la cuisse. Votre jambe gauche doit rester tendue.

La posture du guerrier est censée aider les gens à s'assumer. Elle étirera les muscles de vos cuisses et aidera à tonifier les muscles du haut de vos bras. Comptez jusqu'à 10, ou 20 si vous en êtes capable, avant de revenir lentement et doucement à la position droite.

Répétez de l'autre côté.

4. Le chat

Pour l'étirement suivant, mettez-vous à quatre pattes sur le tapis, les mains et les genoux placés à la largeur des épaules, la tête alignée avec la colonne vertébrale.

Vous comprendrez vite pourquoi cette posture est appelée le chat. Prenez une profonde inspiration et, en expirant, faites le dos rond sans forcer et sans changer la position de vos mains et de vos genoux. Vous regardez maintenant vers le bas, votre tête doit être dirigée vers votre poitrine et doit former une courbe continue avec votre colonne vertébrale.

Revenez lentement à votre position de départ. Prenez une autre profonde inspiration puis faites le contraire, c'est-à-dire que votre colonne vertébrale doit être courbée vers l'intérieur, votre tête doit être penchée vers l'arrière de façon à ce que vous regardiez devant vous.

Revenez à la position de départ et répétez deux autres fois.

5. Le cadavre

Pour terminer, étendez-vous sur le dos, la tête bien à plat, les bras le long du corps et les jambes allongées. Si la position est inconfortable pour le bas de votre dos, surélevez vos genoux pour que votre colonne vertébrale soit au même niveau que le sol.

Prenez plusieurs respirations profondes et laissez votre dos « fondre » dans le sol ; vous devez le sentir lourd. Selon

Le chat

les praticiens de la technique Alexander, on devrait effectuer ce petit exercice tous les jours pendant dix minutes. Pour quelle raison ? Parce que la gravité - en d'autres termes, le fait d'être debout toute la journée - est ce qui nous cause des douleurs au dos. Elle écrase les vertèbres et provoque le mal de dos. En s'allongeant ainsi, on permet à la colonne vertébrale de s'étirer et au liquide rachidien - soit le lubrifiant du corps - de revenir dans les vertèbres, ce qui permet à son tour au dos de s'étirer au maximum.

Une bonne dizaine de minutes permettront d'obtenir des résultats optimaux et, quand vous vous relèverez, vous constaterez qu'une bonne part de la tension présente dans le bas du dos a disparu.

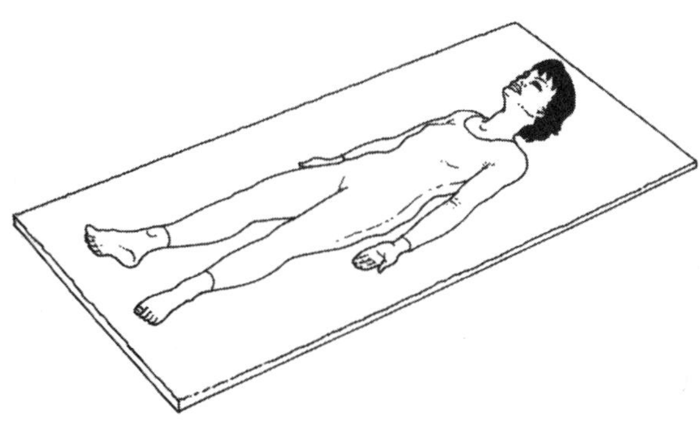

Le cadavre

Relevez-vous en douceur, lentement, en vous tournant d'abord sur le côté et en vous relevant à partir de cette position.

Et voilà !

L'alimentation du vendredi

Vous devriez désormais vous sentir un peu plus détendu et ne plus avoir autant envie de stimulants.

Profitez-en pour boire de l'eau chaude additionnée d'un trait de jus de citron fraîchement pressé. Les boissons chaudes vont directement dans l'intestin et ont un effet d'entraînement sur le reste. Vous pouvez donc les voir comme le début de la fin de tous les aliments vides que vous avez ingurgités jusqu'à ce jour !

Asseyez-vous pour boire ce verre d'eau. Vous pourriez écouter de la musique ou simplement regarder dans le vide et laisser votre esprit naviguer. Il est vraiment très rare que nous regardions dans le vide mais, contrairement aux idées reçues, c'est une très bonne chose que de le faire.

Le fait de constamment travailler, penser et absorber des informations ne garde pas notre cerveau alerte et actif. Au contraire. L'effet obtenu est carrément inverse puisque ça étouffe notre créativité et ça nous laisse épuisé et incapable de faire des liens mentaux. Offrez donc une petite cure détox à votre cerveau également. N'allumez pas le téléviseur et restez simplement en tête-à-tête avec vous-même.

Quant à votre souper, il serait préférable que vous le preniez de bonne heure car, sans l'aide de caféine ou d'alcool pour vous garder artificiellement éveillé, vous vous rendrez compte combien vous êtes fatigué à la fin d'une semaine de travail.

Un souper idéal est simple à préparer, facile à digérer… et composé d'aliments permettant au processus de détoxication de bien démarrer.

Que dire d'un plat de pâtes ? Pas un de ces plats riches, bourrés de crème qu'on vous sert dans les restaurants, mais un plat de pâtes complètes dans lequel il y davantage de légumes que de pâtes.

Pâtes complètes aux légumes frais et au pesto

Mettez à bouillir 50 g de pâtes complètes (pas blanches !). Pendant qu'elles cuisent, hachez un oignon biologique et faites-le blondir dans de l'huile d'olive.

Entre-temps, hachez un poivron, une poignée de pois mange-tout, une poignée de maïs miniatures, deux tomates et une poignée de noix de cajou non salées. Ajoutez-les à l'oignon et faites revenir deux ou trois minutes. Égouttez les pâtes. Incorporez une cuiller de pesto biologique et servez.

Salade

Vous pouvez préférer faire une grosse salade composée de plusieurs verdures, de graines de citrouille ou de tournesol grillées et de chèvre passé sous le gril.

Soupe

Ou bien encore une soupe que vous pouvez faire d'avance, la veille au soir par exemple. Ne la rendez pas trop copieuse en y ajoutant de gros morceaux de pain.

En-cas

Si vous avez une petite fringale un peu plus tard dans la soirée, contentez-vous d'un fruit frais bien que, en toute franchise, vous n'aurez sans doute pas faim. Souvenez-vous de boire au moins deux verres d'eau au cours de la soirée et un de plus si vous prenez un bain.

Et puis au lit

Vous devriez passer une bonne nuit, alors changez vos draps, enfilez un vêtement de nuit confortable et dormez bien.

UN SAMEDI POUR SOI

Au lever

Buvez de l'eau chaude additionnée de jus de citron puis faites des étirements ou encore une marche rapide d'une dizaine de minutes à l'extérieur.

Petit déjeuner

Choisissez un petit déjeuner parmi ceux qui vous sont proposés dans les menus de la cure détox de sept jours.

Le reste de la journée vous appartient !

Le reste de la journée vous appartient complètement, alors pourquoi ne pas en profiter pour faire quelque chose que vous n'avez jamais eu la chance de faire ? Vous asseoir dans votre fauteuil préféré à lire un roman, sans qu'on vous dérange ? Quand avez-vous fait cela pour la dernière fois ? Ou louer quelques vidéo cassettes de vos films favoris et vous préparer pour une longue journée de farniente.

Si vous souhaitez faire de l'exercice, ne vous en privez pas mais vous n'y êtes pas obligé.

Dîner et souper

Choisissez aussi un dîner et un souper dans les menus de la cure de sept jours mais n'attendez pas de vous sentir faible pour prendre vos repas. Ce n'est pas un week-end de régime draconien. Et préparez-vous aussi une petite gâterie : un crumble aux bananes ou un grand verre de jus frais pressé. Une portion de fraises mélangée à une nectarine ou une pêche donne une boisson estivale délicieusement rafraîchissante. En hiver, mélangez des carottes, une pomme et une orange et vous obtiendrez un jus incroyablement savoureux qui aidera du même coup à vous protéger des rhumes et de la grippe grâce à sa teneur en vitamine C.

Le mal de tête

Si vous avez mal à la tête, veillez à boire suffisamment d'eau; vous visez deux à trois litres par jour. N'attendez pas d'avoir soif car l'organisme se comporte un peu comme une voiture: il ne fait signe que le réservoir se vide que lorsqu'il est presque vide.

Vous risquez de souffrir de légers maux de tête si vous aviez l'habitude de boire beaucoup de thé ou de café. Remplacez-les par du café de racine de pissenlit. Vous ne tarderez pas à vous sentir mieux.

La fatigue

Si vous avez vraiment beaucoup sommeil, faites une sieste. Essayez toutefois de ne pas dormir plus de 20 minutes à la fois durant la journée. Vous constaterez que ces petites siestes vous donnent un regain d'énergie mais si vous dormez pendant une ou deux heures, vous vous sentirez lourd et somnolent le reste de la journée.

Les soins de beauté

Vous faire un masque maison vous coûtera beaucoup moins cher que si vous alliez dans une clinique d'esthétique et, en plus, vous savez quels produits conviennent à votre peau.

Remarque: Il est préférable de se faire un masque le samedi plutôt que le dimanche car il fait souvent apparaître des imperfections sur le visage le lendemain.

Masque maison

Ingrédients et matériel :

- 1 bon démaquillant pour le visage
- Cotons démaquillants
- 1 grand bol
- 1 serviette
- 1 masque facial (voir recettes plus loin)
- 2 sachets de thé usagés
- 1 exfoliant facial
- Crème pour les yeux
- 1 hydratant de bonne qualité

Commencez par bien nettoyer votre peau pour éliminer toute trace de maquillage et d'impuretés issues de la pollution urbaine.

Remplissez à demi un grand bol ou une cuvette avec de l'eau bouillante et ajoutez une autre moitié d'eau froide. Vous voulez obtenir de la vapeur mais pas au point de vous brûler le visage.

Placez votre tête au-dessus du bol en vous servant d'une serviette pour former un genre de tente. La vapeur devrait être à une température agréable. Si elle vous brûle, c'est signe qu'elle est trop chaude. Ajoutez donc tout de suite de l'eau froide.

Restez ainsi pendant cinq à dix minutes en prenant de grandes inspirations. Cela débloquera vos sinus tout en dilatant les pores de la peau, qui sera plus facile à nettoyer.

Lorsque vous aurez terminé, tamponnez votre visage pour l'assécher puis appliquez votre masque en évitant le contour des yeux, qui est une zone très délicate.

Allongez-vous sur votre lit ou sur un tapis de yoga et posez les deux sachets de thé (froids !) sur vos yeux. Ils aideront à réduire la bouffissure. Ils ont aussi un effet très rafraîchissant si vous avez mal à la tête.

Une fois que vous avez gardé le masque le temps requis, enlevez-le à l'aide d'eau tiède et d'une débarbouillette. Ne frottez pas votre visage. Posez simplement la débarbouillette sur la peau et laissez-la s'imprégner elle-même du masque.

Lorsque vous avez éliminé tout le masque, appliquez votre exfoliant facial en frottant délicatement en mouvements circulaires autour des joues et de la bouche, sur le front et dans la région du cou.

Rincez à l'eau tiède.

Pour hydrater votre peau, vous pouvez soit acheter un masque hydratant, soit appliquer une couche très épaisse de votre hydratant habituel. Relaxez ensuite pendant cinq minutes puis rincez délicatement.

Aspergez-vous le visage d'eau glacée, ce qui refermera les pores et donnera à vos joues une jolie teinte rosée.

Pour terminer, appliquez une fine couche d'hydratant sur votre visage et une fine couche de crème pour les yeux sur le contour des yeux.

Remarque : Contrairement à ce que l'on pourrait penser, appliquer une épaisse couche d'hydratant n'hydrate pas d'autant la peau. Une fine couche, appliquée au besoin, est beaucoup plus efficace.

Recettes de masques

Masque à l'œuf et aux amandes

Les blancs d'œufs lissent l'épiderme en refermant et en resserrant les pores, ce qui lui donne un peu l'aspect obtenu par un lifting.

Ingrédients :

- 2 blancs d'œufs
- 2 cuillers à thé d'amandes moulues

Battez les blancs d'œufs en neige. Quand ils sont fermes, incorporez les amandes et appliquez sur le visage.

Gardez le masque 15 minutes puis enlevez-le en rinçant délicatement.

Masque au miel et à l'avocat

L'avocat est le meilleur ami de la peau car il est riche en vitamine E. Il donne des masques merveilleusement adoucissants, parfaits pour les peaux stressées et fatiguées, et aussi pour soulager la sensation de brûlure causée par le vent en hiver.

Ingrédients :

- 1 avocat mûr (de préférence biologique)
- 1 grosse cuiller à thé de miel
- 1 cuiller à thé de jus de citron

Écrasez l'avocat. Ajoutez le miel et le jus de citron en mélangeant délicatement.

Appliquez sur le visage et laissez dix minutes.

Le massage

Le massage est un moyen particulièrement agréable de passer un moment, surtout si vous consacrez votre week-end à votre bien-être corporel.

Prenez un rendez-vous dans une clinique de massothérapie proche de chez vous car un trajet de trois heures aller-retour en voiture ou en transport en commun a peu de chances de vous détendre. Vous en trouverez dans l'annuaire téléphonique ou dans les cliniques du quartier. Mieux encore, vous pourriez demander les services d'un massothérapeute à domicile. Toutefois, ne recevez pas chez vous un inconnu, mais seulement quelqu'un qui vous a été recommandé par un ami ou un organisme de confiance.

Si la diversité des massages offerts de nos jours vous laisse perplexe, voici un bref descriptif de quelques-uns d'entre eux, qui vous aidera à choisir celui qui vous convient le mieux.

L'aromathérapie

Dans cette forme de massage très doux, on a recours aux huiles essentielles extraites des plantes et des herbes aromatiques. Ce massage repose sur la croyance voulant que les odeurs jouent un rôle très important dans notre bien-être, qu'elles induisent au calme et qu'elles nous aident à nous ramener vers l'essentiel.

Si cela vous semble peu crédible, pensez à la réaction que provoque sur vous une odeur répugnante : elle peut même vous donner envie de vomir ! À l'inverse, une odeur qui nous plaît est capable d'avoir un effet positif sur nous.

L'aromathérapeute vous posera des questions sur votre santé afin de choisir quelles huiles essentielles vous conviennent le mieux. Par exemple, certaines essences ne sont pas conseillées aux femmes enceintes tandis que d'autres sont excellentes pour contrer les effets néfastes de la pollution et du tabagisme.

Une fois qu'on a choisi une huile essentielle (ou, le plus souvent, un mélange de plusieurs huiles), on la mélange à une huile de base telle que de l'huile d'amande douce ou de germe de blé avant de l'appliquer sur la peau. On ne doit jamais appliquer une huile essentielle pure directement sur la peau.

Le massage lui-même, qu'il se concentre sur les jambes ou sur toute autre partie du corps qui en a besoin, est léger et très apaisant.

La chiropractie

Daniel Palmer, guérisseur au XIXe siècle, a mis au point la chiropractie après avoir conclu que tout déséquilibre ou déformation du squelette entrave le fonctionnement des nerfs, ce qui cause de la douleur et la maladie.

Un chiropracteur tente de soulager la douleur par le biais de manipulations et il réussit plus particulièrement à soigner les problèmes de cou et de dos. Les gens souffrant de problèmes de dos graves ou qui ont subi un syndrome cervical traumatique (le «coup du lapin») font souvent appel aux services d'un chiropracteur.

La première consultation traitera de vos problèmes de santé immédiats et à plus long terme et vous pourriez avoir besoin de radiographies afin de détecter toute maladie des os.

Votre médecin traitant peut vous envoyer chez un bon chiropracteur ou vous en recommander un, ce qui vaut beaucoup mieux que d'en choisir un sur une des cartes professionnelles laissées dans le magasin de produits naturels de votre quartier.

La réflexologie

La médecine traditionnelle chinoise considère que certaines zones situées sur la plante des pieds sont reliées aux zones internes et externes de notre organisme. Si l'une de ces zones se bloque, il en résulte la maladie et une altération du bien-être.

Pour les débloquer, le réflexologue traite les zones du pied associées au problème en cause. Ainsi, en manipulant une zone spécifique, on peut soulager un mal de tête dû à la tension nerveuse. Une autre zone peut correspondre aux intestins et, avec quelques soins, on peut soulager des troubles tels que la constipation.

Aussi bizarre que cela puisse paraître aux non-initiés, un massage du pied donné par un professionnel constitue une expérience excessivement agréable.

En outre, de nombreuses personnes trouvent que c'est très efficace, dont un médecin de l'Égypte ancienne qui, en 2330 avant Jésus-Christ, avait dans son tombeau des peintures illustrant une séance de réflexologie.

Le shiatsu

«Shi» signifie «doigt» en japonais et «atsu» veut dire «toucher». Quand vous les mettez ensemble, cependant, vous obtenez bien plus qu'un massage. Cette méthode ancienne a pour but de guider le corps vers son autoguérison et elle est particulièrement efficace dans le cas de problèmes de santé chroniques comme l'insomnie ou le mal de dos que n'arrivent pas à régler les traitements de la médecine conventionnelle occidentale.

Le massage aidera à faire circuler le «chi» (prononcez «tchi») – le terme oriental utilisé pour désigner l'énergie générée par l'organisme – là où il est le plus nécessaire. Il incitera le corps à s'attaquer au problème sous-jacent, qui se manifeste par certains symptômes, plutôt que de s'occuper simplement des signes visibles.

DIMANCHE

Au lever

Comme vous l'avez fait le samedi, buvez un verre d'eau chaude additionnée de jus de citron.

Si vous avez sommeil, relaxez-vous et retournez vous

coucher un moment. Ne dormez pas toute la journée bien sûr mais quelques heures de plus ne vous feront aucun mal.

Si vous anticipez une journée fort occupée le lendemain, facilitez-vous la vie en préparant d'avance les vêtements dont vous aurez besoin le matin.

Vous vous sentirez vraiment détendu le lundi matin mais ce n'est pas une raison pour tout laisser à la dernière minute !

Le programme détox amaigrissant

L'obésité est en voie de devenir le problème de santé numéro 1 en Occident. En plus du nombre croissant d'adultes qui ont une surcharge pondérale, de plus en plus d'enfants en ont aussi, ce qui veut dire qu'ils se réservent des problèmes pour l'avenir.

UNE ÉPIDÉMIE D'EMBONPOINT

Même si cela semble absurde, étant donné que l'on connaît les problèmes de santé liés au surpoids et que l'on sait comment ne pas avoir des kilos en trop, le poids moyen de la population continue à grimper.

Pourquoi? En partie, parce que nous avons facilement accès à la nourriture. Si nous devions cultiver, récolter et préparer chaque gramme de nourriture qui entre dans notre bouche, il est certain que nous mangerions moins.

Nous consommerions des aliments plus naturels, préparés avec un moins grand nombre de produits chimiques et moins bourrés de gras.

Au lieu de cela, nous achetons au supermarché des aliments prêts à servir. Pour lui garder un goût frais, le pain que nous mangeons est déjà salé, sucré et truffé d'agents de conservation tandis que nos fruits et légumes sont irradiés pour prolonger leur durée de conservation ou encore pelés, hachés et mis en conserve.

De cette manière, nous développons un goût contre nature pour les aliments très assaisonnés et la nourriture «parfaite», et nous levons le nez sur des carottes biologiques pleines de terre et toutes biscornues ou sur du pain maison tout bosselé. Un exemple: si les pois qu'on achète sont toujours d'un vert vif, c'est parce que des tests de marché ont démontré que les consommateurs n'achèteraient tout simplement pas la variété incolore. À l'état naturel, un pois est d'un gris vert peu attirant.

On nous élève dans l'idée que la nourriture est facile à obtenir et l'étiquette doit toujours le laisser entendre. Malheureusement, cela signifie que nous avons un régime alimentaire peu nutritif mais bourré de produits chimiques, de sucres et de gras ajoutés, et ces derniers contribuent à un problème de poids qui ne va qu'en s'aggravant.

Et pourquoi est-ce que nous consommons ces aliments vides en si grandes quantités? Parce que les fabricants veulent que nous le fassions.

Ils ont besoin d'argent pour nous bombarder de publicité qui nous pousse à manger non seulement à l'heure des repas mais aussi entre les repas, pendant que nous regardons la télévision, que nous sommes entre amis, que nous fêtons nos succès ou encore que nous nous consolons de nos échecs.

La nourriture sert même dans les messages publicitaires destinés à promouvoir la sexualité. Récemment, une campagne publicitaire pour de la crème glacée nous montrait un homme et une femme en train d'onduler et de se séduire à coups de cuillerées d'un entremets très sucré et très gras. En réalité, s'ils avaient mangé autant de ce dessert que voulait nous le faire croire la publicité, ils auraient perdu depuis belle lurette leur statut d'objet sexuel ! Mais au fait, depuis quand la publicité reflète-t-elle la réalité ?

Ce n'est pas une coïncidence si les États-Unis, où la publicité pour la nourriture est presque omniprésente, ont le tour de taille collectif qui y correspond.

L'autre facteur important de notre problème de poids est le caractère sédentaire de notre mode de vie. Il y a quarante ans, nous brûlions 25 % de plus de calories que nous le faisons aujourd'hui. Cette statistique explique un excès de poids considérable. De nos jours, nous prenons la voiture pour faire un kilomètre au lieu de marcher. Nous prenons l'ascenseur au lieu de perdre dix minutes à monter l'escalier. Nous mettons notre linge dans la machine et nous appuyons sur un bouton au lieu de le porter jusqu'au lavoir et le laver à la main.

Bien entendu, personne ne voudrait revenir aux jours mornes où on nettoyait les tapis avec des feuilles de thé, une brosse et une pelle à poussière. Mais en réalité, nous ne profitons pas du temps gagné pour avoir des activités plus agréables.

De nombreux clubs de gym comptent sur le fait qu'au moins un tiers des gens qui paient un abonnement ne viennent en réalité jamais. Heureusement car le gymnase serait bondé !

Pire encore, nos enfants font beaucoup moins d'exercice physique que les générations précédentes, et ils remplacent les matchs de football ou de hockey joués dans la rue par de longues heures passées à jouer à des jeux vidéo. On se retrouve alors avec des adolescents trop gras qui deviendront des adultes trop gros, insatisfaits et affligés d'une mauvaise santé.

UNE ÉPIDÉMIE DE RÉGIMES

Si l'on tient compte de tout cela, il est sûrement profitable d'avoir à sa disposition une industrie des régimes amaigrissants qui génère des millions.

Eh bien, pas vraiment.

Les régimes vendus dans le commerce reposent en général sur une perte de poids rapide et spectaculaire. C'est d'ailleurs pour ça qu'on les achète. Chaque nouveau régime, que ce soit celui d'une star d'Hollywood qui lui a permis de rentrer dans une robe de Barbie, ou celui composé d'un substitut de repas prêt à boire au goût exquis, est toujours conçu pour répondre aux besoins de régimes miracles.

Si l'on peut envoyer un homme sur la lune et passer de 0 à 60 en quelques secondes, pourquoi ne pourrait-on pas régler un petit problème de poids en une semaine ?

Le hic, cependant, c'est que le poids perdu est presque aussi vite regagné. Les recherches ont démontré que les personnes ayant réussi à perdre beaucoup de poids en reprennent, et même davantage que ce qu'elles avaient perdu grâce aux régimes miracles. Et c'est ce qui fait que tant de gens adoptent des régimes yo-yo et que leur poids augmente une année et diminue la suivante.

En plus d'être décourageante et ennuyeuse, cette façon de faire est aussi très nuisible pour le cœur qui n'apprécie pas d'être stressé par un excès de gras puis d'être stressé de nouveau par une sous-alimentation.

Si le poids perdu est si vite regagné, c'est parce que, quand on prive brutalement l'organisme de calories, il croit se trouver en situation de famine et il fait tout pour conserver son énergie. De quelle manière? En ralentissant son métabolisme.

Ainsi, une personne brûlant normalement 2500 calories par jour se retrouve à n'en brûler que 1750 après s'être nourrie d'une manière minimale pendant un ou deux jours. Quand elle reprend une alimentation normale, cette personne ne brûle pas le nombre de calories habituel et elle emmagasine au contraire le surplus sous forme de graisse.

Faire de l'exercice dans le but d'activer ce métabolisme ralenti est efficace dans une certaine mesure mais si l'on fait trop d'exercice avec l'estomac vide, l'organisme va brûler sa réserve de muscles plutôt que celle de graisse. Aussi frustrant et contrariant que cela puisse paraître, cette réaction est logique d'un point de vue biologique. Le corps veut rester en vie et conserver sa chaleur; il se raccroche donc à sa graisse pour assurer sa survie.

Malheureusement, nous n'avons pas l'air de comprendre et le commerce de la minceur, qui prend une expansion considérable, s'enrichit sur notre tour de taille collectif... qui prend une expansion non moins considérable.

UN PROGRAMME AMAIGRISSANT À LONG TERME

Un bon conseil: n'employez pas le mot «régime».

La meilleure, et sans doute l'unique façon de réussir à perdre du poids, c'est de le faire graduellement et dans le cadre d'un programme de nutrition sain et à long terme. N'employez pas le mot «régime» car si vous souhaitez rester mince toute votre vie, vous allez devoir respecter ces principes jusqu'à la fin de vos jours.

Ne vous désespérez pas. Tout ça n'est pas aussi drastique que ça en a l'air. Vous n'allez pas vivre avec la faim pour le restant de votre vie ou être obligé de manger du céleri et du cottage. En réalité, vous n'avez pas besoin du tout ni de rester affamé ni d'être condamné à manger des aliments banals. Mais vous devrez, il est vrai, dire adieu à de nombreuses mauvaises habitudes.

Cela étant, une habitude n'est rien de plus qu'une chose que l'on fait souvent et si vous commencez à faire, sur une base régulière, des choix santé, cela deviendra à son tour une habitude qui en remplacera une autre.

À mesure que vous perdrez du poids et que vous ressentirez les bienfaits d'une énergie accrue, d'un teint éclatant, d'une meilleure santé et d'un regain de confiance en vous, toute envie de cheeseburger et de croustilles ressentie en regardant la télévision s'évanouira rapidement.

UN COUP DE FOUET

C'est curieux mais une fois que nous décidons de suivre un régime, la plupart d'entre nous nous y préparons en nous goinfrant d'aliments que, croyons-nous, nous ne mangerons plus jamais !

D'un point de vue psychologique, c'est parfait puisque nous sommes tellement rassasiés que, durant un ou deux jours, nous n'avons envie que d'eau et d'air frais. Pour ce qui est de votre nouveau programme et de ses chances de succès, par contre, rien ne va plus. En effet, les autres inconvénients mis à part, un ou deux jours d'excès impliquent que les deux ou trois premiers jours de votre programme vont se passer à vous remettre de ces excès.

Par conséquent, si vous voulez faire la guerre au gras, contrôlez-vous. Vous pouvez bien sûr prendre un bon repas ou savourer une dernière tablette de chocolat mais ne sabotez pas votre première semaine en vous payant un sandwich au beurre d'arachides et aux bananes frites, l'un des plats préférés de mille calories de feu Elvis Presley, qui est mort obèse justement.

Un bon début consisterait en une cure de jus. Vous aurez bien sûr besoin d'une centrifugeuse, d'une grande quantité de fruits et de légumes et, idéalement, d'un ou deux jours de congé.

Cette cure n'est pas conseillée si vous souffrez d'un quelconque problème de santé, surtout au niveau cardiaque. Si vous êtes dans ce cas, consultez d'abord votre médecin traitant.

En outre, si vous commencez la cure et que vous remarquez que vous vous sentez étourdi ou faible, retournez immédiatement à une alimentation solide. Cette cure a pour but de vous donner un coup de fouet, pas le coup de grâce !

LA CURE DE JUS

Un jus frais pressé constitue une nourriture idéale car il vous permet de consommer une grande quantité de fruits et de légumes crus. Vous avez sans doute entendu les nombreux témoignages sur les propriétés quasi magiques des aliments crus mais, en bref, ils sont bons parce que leurs principes nutritifs sont intacts.

Dès que l'on commence à faire cuire un aliment, il perd un peu de sa valeur nutritive même si certaines méthodes de préparation sont plus destructrices que d'autres.

Néanmoins, la cuisson des aliments n'a pas existé par hasard. Elle permet aux aliments d'être plus agréables au goût et à l'ingestion, et il y a très peu de chances que vous développiez un goût pour des aliments crus et rien d'autre. Ne vous inquiétez donc pas si l'idée d'un jus de carotte et de céleri ne vous emballe jamais autant qu'un sandwich au bacon et à la moutarde.

Un jus a également cela de bon que c'est un aliment très pur. Il a un bon goût sans qu'on lui ajoute du sel ou du sucre. Si vous en buvez pendant un ou deux jours, cela vous permettra de nettoyer votre palais et d'ouvrir la voie à une alimentation moins assaisonnée et moins intoxicante.

Qui plus est, si vous ne consommiez plus jamais de sucre, vous ne priveriez votre organisme d'aucun élément nutritif. Le sucre blanc raffiné n'a fait son apparition dans l'alimentation humaine qu'assez récemment, ce qui est plutôt surprenant puisqu'il est présent dans une quantité d'aliments aussi grande que variée, et qu'il n'apporte rien d'autre que des calories vides et une multitude de problèmes de santé.

Un excès de sucre dans l'alimentation peut conduire à des problèmes dentaires, du diabète, des troubles cardiaques et de l'hypoglycémie, c'est-à-dire un taux de sucre sanguin trop faible. Habituez-vous à le remplacer par de petites quantités de miel, qui est un sucre naturel et qui, à quantité égale, est plus sucré que le sucre. Les fruits contiennent eux aussi du sucre naturel ; vous pouvez donc les utiliser quand vous avez une envie de sucré. Les raisins de Corinthe, par exemple, sucrent à merveille les flans et ils enlèvent l'acidité de la compote de pommes.

Si vous avez coutume de resaler votre nourriture, donnez un congé à la salière en même temps qu'au sucrier.

Nous avons besoin de sel dans notre alimentation, surtout quand nous transpirons, mais on a déjà fait le lien entre une trop grande quantité de sel et l'hypertension, l'insomnie, les affections rénales et les maladies du cœur.

En réalité, la plupart des aliments contiennent déjà du sel. Vous allez constater, après avoir passé une journée sans sel, que les aliments ont un goût bien à eux. Si vous devez saler vos plats à l'occasion, préférez un sel faible en sodium ou un sel aux herbes.

Le thé et le café sont absolument proscrits pendant la cure de jus, de même que l'alcool et le tabac.

Les bons ingrédients à jus

Ail : celui qui fait fuir les vampires a la réputation d'être bon pour la santé. Dans le cas de la détoxication, il est excellent car il contribue à éliminer la rétention d'eau et il stimule le foie. Il est aussi très bénéfique pour le sang car il aide à combattre l'hypertension et l'épaississement des parois artérielles. Recommandé pour un usage quotidien.

Ananas : pendant longtemps, on ne trouvait que de l'ananas en conserve. Il s'en vend maintenant du frais dans les fruiteries et les supermarchés. Pour savoir s'il est mûr, il faut pouvoir arracher assez facilement une feuille du sommet du fruit. Bien qu'il soit assez compliqué à peler et à découper, l'ananas est intéressant en raison de la bromélaïne, une enzyme qui décompose les protéines. Celle-ci favorise la digestion des protéines mais, contrairement à ce que prétendent certains gourous des régimes amaigrissants, elle ne possède pas de propriétés magiques capables de faire perdre du poids.

Betterave : cet ancien légume est employé en cuisine depuis plus de deux mille ans. Bien que son goût soit un peu trop prononcé pour certains palais, la betterave est excellente en association avec les carottes et le chou. Elle est riche en vitamines B et possède de puissantes propriétés antioxydantes.

Carotte : on la trouve dans presque toutes les recettes de jus, et pour cause. Elle est bonne au goût et regorge de vitamine C et de bêta-carotène. On l'emploie souvent dans les diètes anticancéreuses parce qu'elle est riche en vitamine E qui, croient certains, est résistante aux cellules cancéreuses. Elle contribue également à soulager la constipation ; c'est donc un impératif de la détoxication.

Chou : le chou est un de ces légumes magiques qui réussit à entraîner avec lui toutes les toxines qui y adhèrent, tout au long de son trajet dans l'organisme. On le croit aussi très efficace pour combattre les troubles digestifs et pour soulager l'acidité gastrique. Puisqu'il est nourrissant tout en étant peu calorique, il est indispensable pour toute personne voulant se détoxiquer dans le but de perdre du poids.

Citron : les personnes qui suivent une cure détox devraient toujours avoir des citrons chez elles car ils permettent de faire d'excellentes sauces à salade sans gras. On peut aussi en presser quelques gouttes sur du poisson grillé et s'en servir pour rehausser le goût des boissons. On le conseille aussi aux personnes enrhumées. Il semblerait qu'il soit également utile pour combattre les rhumatismes car il agit sur le foie et l'incite à évacuer les toxines. Pour cette raison, c'est un excellent outil de détoxication.

Citrouille : quel que soit l'usage que vous allez en faire, évitez d'acheter les énormes citrouilles vendues dans les supermarchés aux alentours du 31 octobre. Ces fruits « forcés » ne sont cultivés que pour les sculpter facilement en lanternes d'Halloween. Leur chair est en général insipide et spongieuse, ce qui risque de vous dégoûter pour toujours de cet aliment. Les citrouilles biologiques sont savoureuses et sucrées. Elles contiennent beaucoup de vitamine A et de bêta-carotène. Leurs graines sont également excellentes. Une fois séchées et grillées, vous pouvez les manger avec des céréales ou du yogourt nature.

Concombre : donne un jus très rafraîchissant, surtout si on l'associe à de la laitue, du persil et des tomates. Il est riche en vitamines B et particulièrement faible en calories, ce qui en fait un aliment de choix pour les personnes au régime.

Coriandre : l'idéal, c'est d'acheter un plan de coriandre et de prélever quelques feuilles selon ses besoins. Une petite poignée de feuilles relève toutes sortes de mets, surtout les plats de curry. Une ou deux feuilles font d'un jus ordinaire une boisson exotique. Connue pour ses propriétés digestives, la coriandre est en outre riche en vitamine A.

Courges (poivrée et musquée, entre autres) : Elles ont les mêmes propriétés que la citrouille, qui est elle aussi une courge.

Curcuma : ingrédient très présent dans la cuisine indienne, le curcuma est apprécié pour sa couleur jaune intense. Ajoutez-en une ou deux pincées dans les jus de légumes car il est réputé pour être un dépuratif du foie. En trop grande quantité, il peut donner un goût amer ; il faut donc l'utiliser avec modération.

Épinards : bien qu'ils ne contiennent pas autant de fer que veut bien nous le faire croire Popeye, les épinards constituent une source de carotène et de vitamine C. Ils favorisent aussi le péristaltisme et soulagent de ce fait la constipation.

Fenugrec : très employé dans la cuisine indienne, le fenugrec est riche en fer. Il aide à stimuler la production de bile et facilite donc la digestion. De plus, il a un goût agréable.

Figues : les figues fraîches sont rares. Si vous en trouvez, achetez-les sans hésiter. Elles donnent un jus riche qui soulage de manière naturelle la constipation et rafraîchit le foie. Si vous n'en trouvez pas de fraîches, vous pouvez quand même faire un excellent jus en faisant tremper des figues sèches toute une nuit puis en les passant au mélangeur avec leur eau de trempage.

Fraises: ont une teneur en vitamine C supérieure à tout autre fruit et, comme les framboises, sont utilisées par les naturopathes pour purifier le système. Il faut cependant se méfier car certaines personnes sont terriblement allergiques aux fraises. Même si elles sont irrésistibles, n'en mettez donc pas trop.

Framboises: en plus d'être savoureuses, les framboises sont employées depuis longtemps par les naturopathes pour soigner les troubles digestifs et hépatiques. Elles aident véritablement à purifier le système. En outre, elles contiennent beaucoup de vitamine C et aident à soulager la cystite et la diarrhée.

Gingembre: un peu de gingembre râpé ajoute une note chaude et épicée à n'importe quel jus mais ses bienfaits ne s'arrêtent pas au goût. Il facilite la digestion (c'est pourquoi une infusion de gingembre est excellente après un repas copieux) et il aide à réduire les gaz.

Goyave: on n'en trouve pas toujours mais c'est un fruit très intéressant. La goyave est riche en vitamine C, une vitamine que l'organisme est incapable de stocker et dont il faut s'assurer de consommer l'apport quotidien recommandé (AQR). Ne laissez pas ce fruit trop mûrir car sa teneur en vitamine C s'en trouverait réduite.

Grenade: ce charmant petit fruit a la réputation d'augmenter les facultés du cerveau. C'est aussi un bon antioxydant qui aide à soulager un excès de bile et les autres malaises associés à une mauvaise digestion. Dans un jus cependant, à cause de sa saveur légère, il faut faire attention à ne pas l'écraser par d'autres goûts plus forts.

Luzerne : bien que pour certains, elle ressemble un peu trop à de la nourriture pour les lapins, la luzerne est un bon tonique si vous avez une crise de foie.

Melon : indissociable de l'été, il se marie avec tous les fruits de la saison estivale. C'est un bon antioxydant de même qu'une excellente source de vitamine C. Certaines recherches laissent croire qu'il pourrait soulager les symptômes de l'eczéma.

Menthe : comme dans le cas de la coriandre, la menthe a sa place sur un rebord de fenêtre. En plus d'ajouter du punch à toutes sortes de jus, la menthe aide à soulager l'indigestion en stimulant le tube digestif.

Oignons : si vous êtes sujet aux rhumes, il est temps pour vous de vous mettre aux oignons. En plus de constituer un ingrédient de base de nombreux plats en raison de leur polyvalence et de leur saveur, ils possèdent aussi de nombreuses propriétés médicinales. Ils sont décongestifs, bourrés de vitamine C ; ils aident à réduire le cholestérol et empêchent le sang de devenir trop épais et visqueux.

Orange : comme la pomme, elle contient de la pectine, ce qui en fait un bon élément pour soigner la constipation. On croit également qu'une forte teneur en pectine permet de réduire le taux de cholestérol présent dans l'organisme. L'orange est aussi un bon antioxydant. La dyspepsie, causée par un trop long séjour des aliments non digérés dans le tube digestif et qui provoque des gaz, semble être soulagée par une consommation régulière d'oranges.

Papaye : ce fruit sucré et juteux est originaire du Mexique et on le trouve maintenant facilement. Comme de nombreux fruits orange, il est riche en bêta-carotène, c'est-à-dire que c'est un bon antioxydant. Il renferme de la papaïne, une enzyme similaire à la pepsine qui est produite par le système digestif humain dans le but de décomposer les protéines, et qui peut donc aider l'organisme dans son processus de digestion. Certaines recherches laissent supposer que la papaye aurait également des vertus analgésiques, ce qui peut être utile les jours où vous souffrez plus particulièrement. En outre, il semblerait qu'elle ait des propriétés antivieillissement.

Poire : si vous avez un besoin d'énergie instantanée, semblable à celle que vous procure le sucre, mangez une poire. La plus grande partie de ses calories se trouve sous la forme de sucres naturels et elle constitue donc un excellent remontant. C'est également un des aliments les moins allergènes, ce qui la rend très pratique pour les gens souffrant d'intolérances alimentaires.

Pommes : très dépuratives grâce aux propriétés détoxifiantes de la pectine qu'elles contiennent. Elles sont aussi faciles à digérer, très désaltérantes et elles contribuent à réduire l'acidité gastrique. Elles sont de saison en automne et il est préférable de les choisir bio. Servent d'ingrédient de base de nombreux jus et font à elles seules un jus savoureux si on le sucre avec un peu de miel.

Radis : espèce de la famille des crucifères, comprenant aussi le brocoli, le chou-fleur et les choux de Bruxelles. Utilisés principalement dans les salades, les radis s'emploient aussi en phytothérapie comme diurétique et ils sont donc utiles pour les personnes qui font de la rétention d'eau.

Raisin : excellente source de potassium. Le raisin noir surtout est une importante source d'antioxydants. Il faut savoir cependant que le raisin est particulièrement réceptif aux polluants atmosphériques et aux résidus de pesticides ; il faut donc toujours bien le laver avant de le consommer, même s'il est bio.

Tomate : contient des caroténoïdes qui agissent comme de puissants antioxydants et contribuent donc à se débarrasser du surplus de toxines. On pense aussi que les antioxydants aident à prévenir le cancer. Les tomates sont très peu caloriques et elles ont une forte teneur en vitamines C et E. Pour une saveur plus sucrée, optez pour les tomates jaunes ou cerises. Méfiez-vous cependant car les aphtes et l'eczéma pourraient être les signes d'une allergie aux tomates ; commencez donc par de petites quantités.

Exemple de cure de jus d'un jour

Au réveil

Buvez un verre d'eau chaude additionnée de quelques gouttes de jus de citron fraîchement pressé. Effectuez une série d'étirements décrits dans le programme détox de sept jours.

Petit déjeuner

Jus composé d'une carotte, d'une pomme et d'une orange.

Dans la matinée

Faites une marche rapide d'une dizaine de minutes. N'essayez pas de faire des exercices énergiques car votre corps a déjà suffisamment de travail. Prenez plutôt ça relax, profitez de l'air frais et prenez de grandes inspirations.

Dès que vous rentrez chez vous, versez-vous un grand verre d'eau froide et buvez-le entièrement à petites gorgées. Vous DEVEZ boire huit verres par jour ; ayez donc toujours de l'eau à votre portée et habituez-vous à en boire quelques gorgées.

Dîner

Jus composé d'une poignée d'épinards frais, riches en fer et un superaliment détoxicant, une gousse d'ail écrasée, un trait de jus de citron, 100 g de betterave cuite (pas marinée), deux branches de céleri et trois carottes.

Dans l'après-midi

Faites-vous une tasse de café de racine de pissenlit et, si vous avez faim, mangez une pomme ou une poire. Vous pouvez aussi les mettre toutes les deux dans la centrifugeuse, avec un trait de jus de citron.

Profitez que vous avez du temps pour frictionner votre corps avant de prendre un bon bain relaxant. L'eau ne doit pas dépasser la température du corps, sinon vous ressortirez du bain complètement épuisé.

Après le bain, appliquez de la lotion pour le corps en massant bien pour la faire pénétrer et améliorer du même coup votre circulation. Buvez un autre grand verre d'eau et détendez-vous en feuilletant un magazine ou en regardant un film.

Souper

Prenez votre repas de bonne heure car vous devrez boire un autre jus avant d'aller au lit. Cette fois-ci, essayez le mélange suivant : la moitié d'un petit chou rouge, deux ou trois pommes et la moitié d'un bulbe de fenouil. Il a un goût fabuleux et il est très bon pour la santé.

Dans la soirée

Arrangez-vous pour boire ce jus environ une heure et demie avant de vous coucher. Un jus de fraises et de pêche est très rafraîchissant et léger.

Le coucher

Mettez-vous au lit de bonne heure et reposez-vous bien. Vous en avez besoin !

L'ÉTAPE SUIVANTE

Dans tous les cas, ne suivez pas une cure de jus pendant plus de deux jours. Votre corps est fait pour consommer des solides ; ne l'en privez pas.

L'étape suivante pour vous est la cure détox de sept jours, qui sera suivie des conseils donnés à plus long terme. Rappelez-vous qu'il ne s'agit pas là d'un régime draconien et qu'il n'y a aucun mérite à rester affamé pendant de longues périodes. Rester sur sa faim ne vous rendra que plus découragé et amorphe.

Une fois que vous aurez terminé les sept premiers jours, vous devrez vous mettre à faire de l'exercice sur une base régulière. Le programme de mise en forme décrit un peu plus loin convient parfaitement aux débutants. En plus de vous permettre de vous muscler tout en perdant des livres, il accélérera votre perte de poids.

Il ne faudrait pas perdre plus d'une ou deux livres par semaine. Si vous avez énormément de surpoids, vous pourriez perdre entre quatre et quatorze livres très rapidement puis en perdre beaucoup plus lentement par la suite.

Dans tous les cas, si vous vous ressentez des malaises ou des étourdissements, il vous faut absolument consulter votre médecin traitant et discuter avec lui de vos symptômes. Il y a de fortes chances qu'il soit ravi que vous ayez décidé de prendre votre santé en mains et vous donnera recommandations et encouragements ; n'hésitez donc pas à lui demander conseil.

APPRENEZ À ÉCOUTER VOTRE CORPS

Une personne se retrouve avec des kilos en trop parce qu'elle consomme plus de calories qu'elle n'en brûle. Un point, c'est tout. Certains parmi nous sont génétiquement plus enclins à être gros que d'autres mais c'est parce que nous sommes génétiquement plus enclins à brûler moins de calories.

Pour maintenir son poids santé, le secret consiste à écouter son corps et à décrypter ses messages : a-t-il besoin de combustible ou cette envie soudaine de manger un hot-dog en plein milieu de l'après-midi n'est-elle qu'une réaction à un stress ?

Tenir compte de ses besoins physiques est néanmoins une entreprise difficile, qui demande temps et concentration. Nos habitudes alimentaires ont été déformées par les pressions de la publicité, par des rituels culturels comme Noël et les anniversaires et, paradoxalement, par le culte de la minceur qui nous pousse à suivre des régimes et donc à chambouler la perception que nous avons de la nourriture.

Mais ne vous découragez pas : vous serez en mesure de retrouver une relation naturelle avec la nourriture.

Commencez par accorder de l'attention à vos repas. Mangez lentement, savourez ce que vous mangez et sachez reconnaître quand vous êtes rassasié. Pas au point d'être gavé mais juste au point où il serait préférable pour vous d'arrêter de manger plutôt que de continuer. Et arrêtez vraiment.

Les personnes qui mangent trop vite sont pénalisées ici car il existe un petit délai entre le moment où on avale de la nourriture et celui où le sentiment d'être rassasié est envoyé au cerveau. Si vous mangez lentement, le message a le temps de se rendre au cerveau. Si vous engloutissez votre nourriture, vous serez rassasié bien avant que vous ne vous en rendiez compte et, par conséquent, vous mangerez trop.

Apprenez à faire la différence entre la faim réelle et les autres facteurs physiologiques. Par exemple, vous êtes peut-être simplement fatigué. Souvent, nous mangeons en réaction à une fatigue, pour nous soutenir pendant que nous finissons de taper un rapport ou durant les dernières heures de notre quart de travail. Si vous ne pouvez réellement pas vous reposer, mangez un fruit ou allez faire un tour dehors ; ces deux activités vous requinqueront.

La soif est un autre symptôme souvent confondu avec la faim. En cas de doute, buvez un verre d'eau ; vos tiraillements d'estomac pourraient bien disparaître sur-le-champ !

Des facteurs psychologiques peuvent aussi nous pousser à manger.

Par exemple, lorsqu'on se sent mal, on se tourne bien souvent vers la nourriture car c'est un moyen assuré pour améliorer son humeur, ne serait-ce que pendant le temps qu'on est occupé à manger. Après, c'est une autre histoire ; on risque même de se sentir encore plus mal.

Si vous croyez qu'une faible estime personnelle vous pousse à manger alors que vous n'avez pas vraiment faim, il serait temps que vous preniez une action positive, sinon vous risquez de ne jamais briser ce cercle vicieux.

L'exercice physique, bien que fastidieux, améliorera grandement votre estime personnelle. Pas seulement en libérant des endorphines dans votre cerveau qui vont vous faire sentir bien mais aussi en augmentant votre niveau d'énergie et en améliorant la tonicité de votre peau en même temps que votre tour de taille. Si vous êtes du genre à passer des heures devant la télévision, le fait de préparer un programme de conditionnement physique et de vous y tenir vous apportera le sentiment formidable d'avoir accompli quelque chose.

Apprenez à vous faire du bien autrement que par le biais de la nourriture. Prenez rendez-vous au salon de coiffure ou achetez-vous un nouveau vêtement ou un magazine de luxe. Prenez une journée de congé et passez-la à vous balader dans une galerie d'art, à faire du lèche-vitrine ou encore à vous asseoir dans le jardin avec un bon livre.

Susie Orbach, qui a écrit différents ouvrages sur les problèmes de poids chez les femmes, conseille à celles qui sont prises dans le cycle suivre un régime/se goinfrer d'arrêter de se croire imparfaites et de profiter au maximum de ce qu'elles sont *dans le présent.* Au lieu de se dire : « À quoi bon gaspiller de l'argent dans des vêtements alors que je suis grosse ? », elles devraient se dire : « Je vais m'acheter quelque chose qui va me faire paraître à mon avantage. »

Bien s'habiller, tirer le meilleur parti de vous-même tel que vous êtes sont des gestes qui peuvent véritablement vous aider à perdre du poids. En effet, ils vous font prendre conscience de votre personne et vous incitent en conséquence à prendre soin de vous-même et à vouloir paraître le plus possible à votre avantage.

Chacun d'entre nous possède un poids idéal, appelé poids santé, c'est-à-dire celui qui permet à notre organisme un fonctionnement optimal. Vous ne découvrirez le vôtre que si vous apprenez à ne manger que lorsque vous avez faim et à ne consommer que les aliments que votre corps désire vraiment.

Et vous pourriez même découvrir que vous n'êtes tout simplement pas fait pour être maigre comme un clou. Ce que vous découvrirez, en revanche, c'est combien il est agréable de fonctionner à plein régime.

Le programme détox vous aide dans cette démarche en vous sevrant des aliments artificiels comme les sucreries et les mets prêts à servir bourrés de sel. Manger de la vraie nourriture constitue une étape essentielle si vous voulez apprendre à distinguer la faim réelle et atteindre votre poids réel.

UNE MEILLEURE SANTÉ

Ce qui est intéressant dans cette façon de perdre du poids, c'est que non seulement elle est applicable comme programme nutritionnel à long terme, mais aussi qu'elle est incroyablement bénéfique sur de nombreux autres plans.

Du fait que les aliments frais soient si riches en vitamines et que votre foie reçoive la nourriture qui lui convient, votre santé va grandement s'améliorer. Après les premières semaines, vous remarquerez sans doute que vous attrapez moins de rhumes, que vous dormez mieux et que votre anxiété a beaucoup diminué.

LA CURE ANTI-GUEULE DE BOIS

Vous ne vous sentez pas trop bien ce matin ? Peu d'entre nous peuvent réellement prétendre ne jamais avoir eu la gueule de bois. Malgré tout, certains se retrouvent dans cet état, pas vraiment bon pour la santé, un peu plus souvent que d'autres. Les symptômes sont les suivants :

Le mal de tête. Causé par l'effet diurétique de l'alcool qui cause une déshydratation et par l'existence de congénères, les substances présentes dans les boissons alcoolisées qui leur donnent leur couleur et leur goût.

La nausée. Causée par l'irritation de la muqueuse de l'estomac, engendrée par une trop grande quantité d'alcool.

La fatigue. Causée par le foie qui est trop occupé à traiter l'alcool et incapable de transformer la nourriture en glycogène indispensable comme source d'énergie.

PLUS JAMAIS !

À cela, il faut ajouter la confusion, le teint terreux, l'envie incontrôlable de manger tout ce qui vous tombe sous la main et la conviction que jamais, plus jamais vous ne boirez.

Et, effectivement, vous rendriez un grand service à votre santé si vous pouviez cesser de boire quelques semaines, voire quelques mois. Car, en dépit de l'affirmation voulant qu'un verre de vin rouge soit bon pour votre cœur, la vérité, c'est que l'alcool ne vous fait vraiment aucun bien. Il n'a aucune valeur nutritive, il ne protège pas votre cœur et même sa capacité à vous détendre est annulée par sa capacité à vous rendre très déprimé.

Il cause de l'irritabilité, de la tension nerveuse et de l'insomnie car, comme la caféine, il stimule la sécrétion d'adrénaline. C'est pour cette raison que le soir du lendemain de la veille, vous risquez d'éprouver de la difficulté à vous endormir. Votre cerveau est encore sous l'effet d'un stimulant artificiel alors que votre organisme, à cause de votre foie complètement surmené, se retrouve épuisé.

Un abus d'alcool peut aussi provoquer l'accumulation de dépôts graisseux autour du cœur et du foie ou bien conduire à un affaiblissement du système immunitaire.

L'alcool n'est que source d'ennuis et on peut très bien vivre sans.

Par conséquent, si vous lisez ce livre en ayant un mal de tête dû à la gueule de bois, voici ce que vous pourriez faire :

Buvez de l'eau, beaucoup d'eau

Ayez un verre d'eau près de vous toute la journée et ne vous arrêtez pas de boire dès que vous urinez régulièrement et que votre urine est claire. Votre organisme se sert justement d'elle pour éliminer toute la boisson que vous avez ingurgitée.

Mangez

Quand vous avez la gueule de bois, votre corps éprouve un grand besoin de calories parce que sa réserve de vitamines et de minéraux a été épuisée par l'orgie d'alcool de la nuit précédente. Boire de l'alcool épuise les réserves de l'organisme en vitamines A, B et C, en magnésium, en zinc et en acides gras essentiels.

Et un plat de bacon, de saucisses et d'œufs, aussi appétissant soit-il, ne sera d'aucun secours.

Faites-vous plutôt un bol de gruau. Ce mets est facile à digérer et il est riche en glucides, le combustible préféré de l'organisme. Au lieu d'ajouter du sucre et du sel, écrasez une banane dans le gruau encore chaud. Ce fruit vous fournira un peu d'énergie et apportera à votre organisme certaines vitamines essentielles dont il a besoin.

Plus tard dans la journée, préparez-vous de la soupe de légumes qui vous fournira de la vitamine C.

Dormez

Si cela est possible, reposez-vous toute la journée. Votre organisme est exténué.

Prenez un supplément de chardon-Marie pour favoriser le fonctionnement de votre foie.

Buvez du jus

En plus de faire changement, il rehaussera votre réserve de vitamine C. On conseille du jus de pomme, allongé avec un peu d'eau, à cause des propriétés détoxifiantes de la pectine. Du jus de poire est également bon.

Faites un peu d'exercice

Rien de trop épuisant, simplement une marche d'une vingtaine de minutes.

Augmentez votre glycémie

Pas avec une grosse tablette de chocolat par exemple ! Buvez plutôt un verre d'eau chaude additionnée de jus de citron et d'une cuillerée de miel. Rien de bien affriolant mais cela vous permettra de vous sentir mieux.

Regardez un film positif

Avoir la gueule de bois peut vous rendre réellement très déprimé ; alors n'aggravez pas la situation en vous réprimandant. Regardez un film positif et promettez-vous de faire plus attention la prochaine fois.

Prenez un bain

La vapeur facilitera la détoxication de votre organisme. Ajoutez à l'eau quelques gouttes d'huiles essentielles de lavande et de bergamote, ce qui accélérera aussi le processus de détoxication et vous aidera à dormir par la suite.

LA PREMIÈRE SEMAINE

Si votre consommation d'alcool a été particulièrement élevée ces derniers temps, les premiers jours sans lui risquent d'être pas mal épuisants. Toutefois, si vous suivez le programme détox de sept jours, les effets secondaires s'atténueront beaucoup plus rapidement que si vous continuez à consommer des aliments de compensation et de grandes quantités de thé et de café.

D'un point de vue esthétique, vous avez sans doute remarqué que vos yeux étaient gonflés. C'est le signe que votre organisme est bourré de toxines et que le résultat peut être disgracieux.

Un gel rafraîchissant pour les yeux, offert en pharmacie, peut aider à réduire le gonflement et soulage en même temps le mal de tête. Vous pouvez aussi employer des sachets de thé déjà utilisés et froids.

Il se peut que votre peau soit grisâtre et elle risque même de se couvrir de boutons. Encore là, c'est le signe d'une accumulation de toxines, alors ne vous en faites pas. Les masques permettent de redonner un peu de couleur aux mines de papier mâché car ils stimulent la circulation sanguine. Mais ne soyez pas surpris, ils feront aussi apparaître des boutons à la surface.

Vous risquez d'avoir de longues crises d'indigestion. Si tel est le cas, évitez de consommer des aliments difficiles à digérer comme les légumes secs. Mangez beaucoup de fruits et de légumes car ils favorisent des selles régulières qui, à leur tour, diminueront votre indigestion.

Des aliments comme le chou et le riz complet faciliteront aussi le processus car ils éliminent les toxines des intestins lors de la digestion.

Au bout de deux ou trois jours, vous vous sentirez beaucoup mieux ; ne reprenez cependant pas vos anciennes habitudes. Plus vous suivez le programme détox longtemps, plus vous donnez la chance à votre foie de se rétablir complètement.

Cela vous permettra du même coup de briser l'habitude du « c'est vendredi, il faut que je boive un gin tonic ». Pendant quelques semaines, trouvez-vous d'autres activités comme un cours du soir ou le cinéma ou encore une séance de rattrapage des émissions que vous n'avez pas pu voir pendant la semaine. C'est incroyable vraiment ce que la vie peut être intéressante à l'extérieur des quatre murs d'un bar.

CHANGEZ VOTRE FAÇON DE BOIRE

Vous pourriez vivre sans boire pendant le reste de vos jours. Néanmoins, il y a de fortes chances que vous retourniez à l'alcool. Essayez donc de le faire raisonnablement.

Essayez de boire avec modération. Vous pouvez prendre un verre de vin rouge au repas puis refermer la bouteille et en avoir un autre le lendemain.

Quand vous allez à une soirée, prenez un ou deux verres d'alcool puis mettez-vous aux boissons gazeuses ou à l'eau.

Ne consommez pas d'alcool si vous êtes à jeun ou fatigué.

Ne planifiez pas de longues soirées dans un bar. Restez-y pendant une heure puis allez au cinéma.

Apprenez à savourer un bon vin, une vodka tonic convenablement dosée ou une bière de qualité.

Et respectez le nombre d'unités recommandé par semaine, soit 14 pour les femmes et 21 pour les hommes.

Rappelez-vous que boire peut constituer une activité très agréable, surtout quand on le fait en bonne compagnie. Ne gâchez pas ce plaisir en laissant de mauvaises habitudes sans gravité devenir un problème majeur.

DÉTOXIQUEZ VOTRE ENVIRONNEMENT

Nous vivons au vingt et unième siècle des vies trépidantes et bien remplies. Les routes sont pleines de conducteurs enragés qui se pressent d'un embouteillage à un autre. Le ciel est sillonné d'avions qui parcourent la planète en tous sens à des vitesses de plus en plus grandes. Nous possédons tous un téléviseur, un four à micro-ondes, un cellulaire et une adresse de courrier électronique. Nous achetons de la nourriture déjà cuisinée et nous nous attendons à ce que les choses arrivent tout de suite car nous n'avons pas le temps d'attendre.

Mais toute cette précipitation a un prix.

En plus de nous stresser à essayer de caser trop d'activités dans un temps trop court, nous en faisons porter les conséquences sur l'environnement. Un trop grand nombre de voitures sur les routes entraînent trop de gaz d'échappement dans l'air que nous respirons. Dans le cas des avions, c'est encore pire.

Tout en rendant le travail dans les bureaux plus efficace, l'informatisation nous expose aussi à des toxines dangereuses. Une utilisation prolongée des ordinateurs est associée à des problèmes de vue.

On a avancé que les cellulaires pouvaient avoir un lien avec le cancer et les maladies chez les enfants.

L'industrie alimentaire de masse ainsi que l'utilisation croissante de pesticides nocifs qui entrent inévitablement dans la chaîne alimentaire s'ajoutent aux émissions gazeuses planétaires. Après tout, les fruits exotiques ne sont pas transportés jusque chez nous par pigeon voyageur!

Bref, l'air que nous respirons est loin d'être aussi pur que nous voudrions qu'il le soit. Cependant, en dehors de faire pression sur le gouvernement pour qu'il oblige les industries à réduire leurs émissions gazeuses et qu'il encourage l'amélioration des infrastructures du transport en commun (deux actions extrêmement importantes si nous voulons assister à des changements), que pouvons-nous faire pour diminuer l'impact de toute cette pollution sur notre santé?

PURIFIEZ L'AIR

Une manière fortement recommandée pour améliorer votre environnement est l'achat d'un ioniseur. Ces petits appareils éliminent la charge des ions.

Vous pouvez n'y voir que du boniment sauf si vous savez que dans les milieux où il y a beaucoup de machines et de circulation, l'air est composé en majorité d'ions positifs. Une trop grande quantité de ces ions nous rend fatigués et nous met les nerfs à vif.

Les ions négatifs, qu'on trouve en abondance au bord de la mer car celle-ci élimine la charge des ions, sont revigorants. Un ioniseur augmentera donc la quantité d'ions négatifs présents dans votre environnement immédiat et vous permettra de rester beaucoup plus alerte.

Les plantes sont elles aussi très utiles, surtout si vous travaillez à l'ordinateur. Elles absorbent le gaz carbonique de l'air et rejettent de l'oxygène. Elles sont également efficaces pour absorber les toxines présentes dans l'atmosphère, plus particulièrement la plante araignée.

Ces mesures sont malgré tout bien minces en regard d'un bon bol d'air frais. Même en ville, il est préférable d'être dehors que dedans. Les maisons sont une mine de substances potentiellement toxiques, du vernis des meubles au nettoyant pour salle de bains, et les bureaux encore davantage. Quand vous êtes à l'intérieur, ouvrez une fenêtre et essayez de sortir prendre l'air à peu près toutes les trois heures pendant 15 minutes.

Si vous allez faire du jogging, cependant, les experts de la santé recommandent de ne pas courir le long de routes très fréquentées ou, aussi surprenant que cela puisse paraître, dans les boisés urbains car les polluants s'accumulent dans les zones abritées.

Autant que possible, augmentez la fréquence de vos séjours à la campagne et à la mer. Et pour le reste, rendez un service à la Terre : ne prenez pas votre voiture, prenez l'autobus.

UNE HABITATION TOXIQUE

Comme nous l'avons dit plus haut, notre habitation est l'un des lieux les plus toxiques mais de nombreuses améliorations sont possibles, ouvrir les fenêtres étant la première et la plus simple. Même en hiver, assurez-vous d'aérer chaque pièce dans laquelle vous envisagez de passer du temps, au moins une demi-heure par jour. Cela permet de faire circuler l'air et en plus de l'assainir car, par temps froid, nous avons tendance à nous enfermer chez nous, sans nous rendre compte que nous respirons de l'air vicié.

Faites bien vérifier qu'il n'y a pas de fuite dans vos canalisations de gaz ni de plomb dans votre plomberie. Une dose même minime de l'une ou l'autre substance peut être fatale.

Quant aux produits d'entretien, il est logique de passer au vert. En plus de diminuer les quantités de sous-produits nocifs rejetés dans l'eau ou dans l'atmosphère, les produits qui ont un faible impact sur l'environnement sont aussi meilleurs pour vous. Le magasin de produits naturels de votre quartier tient tous les produits dont vous avez besoin : des lessives sans phosphates aux nettoyants sans produits chimiques.

Comme on peut s'y attendre, la peinture est une substance particulièrement désagréable pour notre environnement immédiat mais il se vend désormais des peintures sans produit pétrochimique. Par conséquent, la prochaine fois que vous ferez de la décoration intérieure, posez-vous la question à savoir si vous souhaitez respirer des produits toxiques pendant quelques mois ou si vous préférez faire neuf et pur à la fois.

ARRÊTEZ DE FUMER

Le meilleur moyen d'améliorer notre environnement, c'est de cesser de fumer. C'est LA chose la plus importante à faire pour votre santé, à savoir libérer votre organisme, sur-le-champ et d'un seul coup, de plus de trois mille substances toxiques.

Est-il besoin de rappeler que le tabagisme est associé à un grand nombre de cancers, qu'il peut causer des maladies cardiaques et respiratoires, qu'il accélère le processus de vieillissement, jaunit les dents, rend votre haleine amère, réduit la capacité pulmonaire, perturbe le sommeil, la concentration et la digestion et, par-dessus le marché, coûte une fortune ?

Mais s'arrêter de fumer est bien évidemment mille fois plus difficile que de commencer à fumer. C'est ce qui explique l'apparition de toute une industrie liée à l'abandon du tabac.

Voici un bref descriptif des solutions qui s'offrent à vous.

L'acupuncture

Cette méthode chinoise ancienne consiste à insérer des aiguilles dans des points situés le long des « méridiens » du corps, dans lesquels circule l'énergie, appelée « chi ». Les aiguilles servent à rediriger l'énergie dans la zone qui en a besoin à un moment précis.

Les signaux de douleur, envoyés vers le cerveau par l'intermédiaire des nerfs, peuvent être bloqués grâce à l'acupuncture, ce qui en fait un traitement efficace contre certaines affections comme les rhumatismes.

Pour ceux qui essaient de cesser de fumer, l'acupuncture peut soulager les symptômes de sevrage et leur permettre de passer à travers les premières semaines éprouvantes sans trop de difficulté.

La thérapie par l'aversion

Ce terme de psychiatrie s'emploie pour décrire le processus destiné à faire renoncer à une habitude peu souhaitable en l'associant à quelque chose d'excessivement désagréable, comme une odeur répugnante ou la nausée. Certaines personnes essaient de la mettre en pratique par elles-mêmes, par exemple, en fumant le double de leur ration quotidienne de cigarettes en une seule fois dans le but de se dégoûter. Toutefois, ce genre de « thérapie », qu'on s'administre soi-même, est rarement efficace.

L'hypnothérapie

Dans l'*American Journal of Psychology*, on a pu lire que l'hypnothérapie semble être le moyen le plus efficace pour abandonner le tabac et les témoignages sont impressionnants.

Au début de la séance, l'hypnothérapeute vous pose des questions sur vos habitudes en matière de tabagisme, sur ce qui vous a poussé à commencer à fumer et ce qui vous a incité maintenant à vouloir cesser de le faire. Son objectif est de mettre au point une séance d'hypnothérapie dirigée spécifiquement selon vos besoins.

Le praticien vous demandera ensuite de vous détendre, en vous plongeant sans doute progressivement dans un état de profonde relaxation.

Une fois que vous serez prêt, le thérapeute vous parlera du tabagisme et des raisons pour lesquelles vous voulez cesser de fumer, ce qui aidera à implanter dans votre cerveau la notion de détermination. En fait, il est facile de cesser de fumer dès lors qu'on est déterminé à le faire. Quand votre détermination flanche face à la tentation, c'est là que c'est difficile et l'hypnothérapie vous aide à garder l'avantage.

Les substituts de nicotine

Les timbres et les gommes à mâcher peuvent être efficaces si c'est à la nicotine que vous êtes dépendant puisqu'ils permettent d'absorber une dose de nicotine de plus en plus réduite et soulagent ainsi les symptômes de sevrage.

Toutefois, de tels substituts ne tiennent pas compte de l'aspect psychologique lié au tabagisme, de l'envie irrépressible d'accomplir les rituels liés au tabac, de l'assurance qu'apporte à nombre d'entre nous, en société, le fait de tenir une cigarette.

En outre, il n'y a rien qui pourra vous arrêter de devenir, en plus, dépendant aux timbres et aux gommes à mâcher !

La volonté

Le facteur le plus élémentaire et celui qui contribue certainement au succès de toute tentative d'abandon du tabac.

Quelle que soit la méthode que vous choisissez, donnez-vous un coup de pouce en décidant d'une date pour arrêter, que ce soit le 1er janvier, le jour de votre anniversaire ou le premier jour d'école de votre enfant. Marquez-la dans votre agenda et respectez-la.

Prévoyez le démantèlement de vos « repères psychologiques », c'est-à-dire les moments de la journée que vous considérez comme des « moments cigarette ». Par exemple, si vous en allumez toujours une en prenant votre café le matin, laissez tomber le café et allez faire un tour à la place. Si vous fumez toujours après le dîner, allez faire de la natation ou du magasinage pendant votre heure de lunch.

Évitez les situations où vous risquez d'être tenté, du moins pendant les deux ou trois premières semaines. Et ne vous approchez pas d'un bar si vous associez le premier verre à la première et divine bouffée.

Préparez-vous à être irritable et à souffrir d'indigestion qui sont les deux effets secondaires les plus courants liés à l'abandon du tabac. Vous risquez en outre de voir votre sommeil perturbé, mais rassurez-vous, une fois les effets du sevrage passés, vous dormirez de manière plus régulière et mieux que jamais.

Méfiez-vous d'un gain de poids. Quoi que vous lisiez ou entendiez dire à ce sujet, votre métabolisme ne change *pas* quand vous arrêtez de fumer. Il ralentit un tout petit peu mais avec un peu d'activité physique, vous pouvez compenser cette modification.

Ce qui changera *vraiment*, par contre, c'est votre appétit car vous allez redécouvrir tout à coup le véritable goût des aliments. Vous risquez aussi de vouloir remplacer la cigarette par des collations.

Donnez-vous un coup de pouce en faisant de grosses réserves de céleri et de carottes, que vous pourrez couper d'avance et consommer toute la journée sans nuire à votre tour de taille. À première vue, ça n'a rien de très alléchant, mais une fois que vos papilles y auront goûté, elles seront ravies.

En dernier lieu, encouragez-vous en mettant de côté l'argent que vous ne dépenserez plus à l'achat de cigarettes, dans l'idée de vous offrir un beau cadeau.

UTILITÉ D'UNE CURE DÉTOX

Suivre un nouveau régime alimentaire et arrêter de fumer en même temps peut sembler de la folie pure mais en fait, c'est une démarche pleine de bon sens.

D'une part, vous associerez une alimentation saine à l'absence de tabac.

D'autre part, les aliments détoxicants, qui sont très riches en vitamines et en minéraux, vous aideront à renouveler les réserves épuisées de votre organisme.

Il est prouvé que les fumeurs présentent toujours une carence en vitamine C : certains résultats indiquent que les fumeurs en ont jusqu'à 30 % de moins que les non-fumeurs. Une importante consommation de fruits et de légumes vous remettra sur le chemin de la santé.

Les ex-fumeurs ressentiront aussi les bienfaits des antioxydants présents dans une cure détox car, pour la première fois, ils ne les gaspilleront pas pour neutraliser les poisons présents dans la fumée de cigarette. Les agrumes, les poivrons et les raisins sont particulièrement recommandés pour toute personne qui a abandonné récemment le tabac.

Les céréales complètes ainsi que la viande et le poisson maigres, qui sont des aliments de base de la détoxication, aident à renouveler les réserves de vitamine B12 qui risque d'avoir été épuisée à force d'aider le foie à métaboliser le cyanure présent dans la fumée de cigarette.

Les gras oméga-3, qu'on trouve dans le poisson et les fruits de mer, vous redonneront aussi des forces.

Finalement, la cure détox accélérera l'élimination des toxines nocives et elle vous permettra ainsi de profiter encore plus vite des bienfaits apportés par l'abandon du tabac.

CONSEILS POUR ARRÊTER DE FUMER

Suivez le programme détox de sept jours en veillant à boire suffisamment d'eau. Ceci vous permettra de vous débarrasser plus rapidement des toxines associées à la cigarette.

Respirez beaucoup d'air frais. Allez faire un tour à pied ou en vélo tous les jours.

Prenez de profondes inspirations. L'une des raisons pour lesquelles l'action de fumer est si relaxante, c'est parce que, quand on inhale, on prend une profonde inspiration. Apprenez à le faire sans la cigarette. Essayez l'exercice suivant : dans une pièce obscure et tranquille, allumez une bougie et asseyez-vous devant. Fixez la flamme jusqu'à ce que votre esprit soit libéré de toute pensée. Prenez de profondes et lentes inspirations qui descendent jusqu'à votre diaphragme et retenez votre souffle pendant trois à cinq secondes. Expirez lentement. Commencez par dix respirations.

Cherchez des solutions au stress. Auparavant, quand vous étiez stressé, vous fumiez. Qu'allez-vous faire maintenant ? L'activité physique est le meilleur antistress qui soit car elle libère des endorphines, les substances chimiques analgésiques naturelles de l'organisme. Vingt minutes d'exercices d'aérobic intenses seront plus efficaces pour vous calmer que vingt cigarettes.

Vous pourriez aussi envisager des activités qui vous relaxaient quand vous étiez enfant, c'est-à-dire avant que vous fumiez. Si vous aimiez dessiner ou peindre, achetez-vous du matériel et tentez l'expérience. Vous pouvez aussi emprunter des livres à la bibliothèque ou faire de la danse en ligne.

Prenez soin de votre peau. La peau est l'organe le plus important de votre corps et il est le miroir de notre état de santé. C'est pourquoi quand on fume, on a la peau grisâtre et prématurément ridée.

Quand vous arrêtez de fumer, aidez-la à retrouver sa vitalité. Des frictions quotidiennes, l'emploi régulier d'une lotion pour le corps, des massages ainsi que des exercices axés sur le renforcement musculaire sont autant d'éléments qui concourent à stimuler la circulation sanguine et à améliorer l'état de la peau.

Plus vous aurez une belle apparence, moins vous serez tenté de détruire votre beau travail en allumant une cigarette.

Les recettes

Ce que les gens constatent lorsqu'ils modifient leur régime alimentaire, c'est qu'ils se servent presque toujours des mêmes recettes. Bien qu'elles soient toutes infiniment faciles, les recettes proposées ici vont offrir à vos papilles gustatives une variété intéressante.

Vous pouvez également garder quelques-unes de vos anciennes recettes et les adapter pour répondre à vos besoins en matière de détoxication. Par exemple, le jus de citron remplace en général bien le vinaigre et la betterave le vin rouge. La farine d'orge est une bonne alternative à la farine de blé et le lait de riz s'emploie bien à la place du lait de vache. On peut aussi utiliser du lait de chèvre ou de brebis qui se digère beaucoup plus facilement.

PAINS

Pain sans levure

Ingrédients :

675 g de farine complète

1 1/2 cuiller à thé de sel faible en sodium

450 ml d'eau tiède

Dans un bol, mélangez la farine et le sel puis versez suffisamment d'eau tiède pour obtenir une pâte molle.

Déposez la pâte sur une surface légèrement farinée, pétrissez-la pendant cinq minutes environ puis remettez-la dans le bol.

Recouvrez d'un linge humide et gardez dans un endroit chaud jusqu'au lendemain.

Le lendemain matin, déposez la pâte sur une surface légèrement farinée et pétrissez-la encore pendant cinq minutes.

Déposez la pâte dans un moule à pain de 900 g et gardez-la dans un endroit chaud pendant quatre heures.

Faites cuire dans un four préchauffé à 200 °C (gaz, thermostat 6) pendant environ 30 minutes.

Le pain devrait se démouler facilement sur une grille.

Contrairement au pain fait avec de la levure, il ne lèvera presque pas mais il se conservera plus longtemps et aura davantage de goût.

PAINS

Pain au bicarbonate de soude

Ingrédients :
450 g de farine complète
100 g de flocons d'avoine fins
25 g de beurre biologique
1 1/2 cuiller à thé de crème de tartre
1 pincée de sel faible en sodium
450 ml d'eau et de lait mélangés

Préchauffez le four à 230 °C (gaz, thermostat 8).

Mettez les ingrédients secs dans un bol. Incorporez le beurre puis ajoutez le lait et mélangez jusqu'à l'obtention d'une consistance molle.

Déposez la préparation dans un moule à pain de taille moyenne, légèrement graissé, et enfournez pendant 15 minutes.

Réduisez la température à 180 °C (gaz, thermostat 4), poursuivez la cuisson pendant 15 minutes puis démoulez sur une grille.

Il est préférable de manger ce pain aussitôt cuit.

JUS

Jus de pomme et carotte

Ingrédients :
2 pommes
1 grosse carotte
50 g de betterave cuite, mais pas marinée
50 g de raisin blanc
1 petit morceau de gingembre frais

Passez le tout au mélangeur.

Cette boisson fort populaire regorge de vitamine C. La betterave est utile si vous souffrez de constipation car elle a une action laxative douce, ou encore si vous souffrez de cystite car on croit qu'elle peut soulager certains des symptômes de cette affection.

JUS

Cocktail de fruits d'été

Ingrédients :
250 g de fraises
1 nectarine
1/8 de melon miel
2 ou 3 glaçons

Un vrai délice par une chaude journée d'été !

JUS

Jus de légumes d'été

Ingrédients :
3 grosses tomates
1/2 laitue verte
1/3 de concombre
1 petite poignée de persil
1 petite gousse d'ail (facultatif)

Une boisson très désaltérante... et une solution au problème des restants de salade.

JUS

Cocktail superdétox

Ingrédients :
2 branches de céleri
2 carottes
1 petite betterave cuite, mais pas marinée
1 orange, pelée et sans peau blanche
1 pomme

Cette recette vraiment délicieuse donne deux portions. Cette boisson est excellente pendant votre cure détox et aussi en cas de gueule de bois, car elle redonne à votre système toutes les vitamines dont il a besoin.

N'ajoutez surtout pas de sauce Worcestershire car celle-ci est bourrée de sel.

PETITS DÉJEUNERS

Muffins au maïs

Ingrédients :

75 g de farine de légumineuse (pois chiche, par exemple)
100 g de farine d'avoine
1 cuiller à soupe de levure chimique sans blé
1 pincée de sel faible en sodium
275 ml de lait de riz
1 cuiller à thé de miel
2 cuillers à soupe d'huile de maïs
1 œuf

Préchauffez le four à 220 °C (gaz, thermostat 7) et graissez légèrement un moule à muffins à 12 godets ou tapissez les godets avec des moules en papier.

Dans un grand bol, mélangez les deux farines, la levure chimique, le miel et le sel. Ajoutez le lait, l'huile et l'œuf battu puis mélangez jusqu'à l'obtention d'une pâte homogène.

Versez l'appareil dans le moule à muffins et faites cuire au four pendant environ 20 minutes, jusqu'à ce que les muffins soient fermes au toucher et dorés.

Ces muffins sont délicieux s'ils sont servis aussitôt cuits.

PETITS DÉJEUNERS

Œufs brouillés au gingembre

Ingrédients :

2 œufs (si possible biologiques ou de poules élevées en liberté)

1 filet de lait de soja

Huile d'olive

1 petit morceau de gingembre frais

1 gousse d'ail (facultatif)

Râpez le gingembre et écrasez la gousse d'ail d'avance car les œufs brouillés ne doivent pas attendre.

Battez ensemble les œufs et le lait de soja et versez-les dans une poêle contenant un peu d'huile d'olive chaude.

En remuant sans arrêt, ajoutez le gingembre et l'ail.

Dès que les œufs ont une consistance suffisamment solide à votre goût, servez-les sur des galettes de riz et assaisonnez d'un peu de poivre noir.

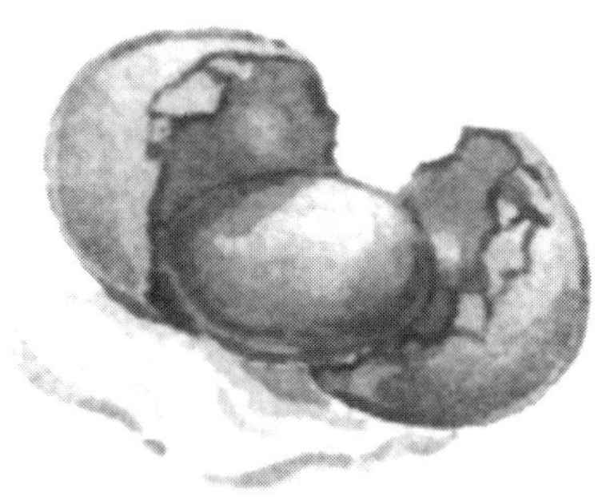

PETITS DÉJEUNERS

Pommes de terre sautées santé

Vous pouvez transformer le mets le plus gras, typique du petit déjeuner à l'américaine, en plat santé. Il suffit pour cela d'employer moins d'huile.

Ingrédients :

2 pommes de terre

1 oignon rouge

2 œufs (si possible biologiques ou de poules élevées en liberté)

Huile d'olive

Poivre noir au goût

Hachez l'oignon puis faites-le blondir dans l'huile d'olive. Râpez les pommes de terre et ajoutez-les à l'oignon en brassant régulièrement. Saupoudrez d'un peu de poivre noir et retirez du feu.

Faites cuire les œufs au plat, à feu très doux, dans un minimum d'huile d'olive. Ne laissez pas les blancs brunir.

Une fois les œufs prêts, déposez-les sur les pommes de terre sautées.

PETITS DÉJEUNERS

Muesli maison

Ingrédients :

250 g de riz soufflé

200 g de flocons d'avoine à cuisson rapide

1 poignée de graines de tournesol

1 poignée d'amandes

1 poignée de graines de citrouille

1 poignée de noix du Brésil, grossièrement hachées

2 poignées de raisins secs

2 abricots dénoyautés ou 2 pommes épépinées, coupés en gros dés

Voici un muesli à la fois craquant et croquant.

Mélangez simplement tous les ingrédients et servez le tout arrosé de lait de soja froid.

Pour une petite touche spéciale, vous pouvez aussi en faire macérer une partie dans du jus d'orange fraîchement pressé et la servir avec du yogourt nature.

SOUPES

Velouté de courge musquée

Ingrédients :
1 oignon
1 courge musquée
Cumin moulu
Huile d'olive
500 ml de bouillon de légumes
Yogourt de brebis, nature

Il était auparavant difficile de trouver de la courge musquée. Grâce à un certain nombre de chefs célèbres qui l'ont mise au goût du jour, on la trouve maintenant dans la plupart des supermarchés et des fruiteries. Même mûre, elle reste ferme.

Le cumin relève bien le goût de la courge mais faites attention de ne pas en mettre trop car la présence de l'épice doit rester subtile et non dominer le légume. Pelez et épépinez la courge puis coupez-la en dés d'un centimètre. Réservez.

Hachez l'oignon et faites-le revenir dans l'huile avec une ou deux cuillers à thé de cumin moulu. Remuez bien et laissez cuire quelques minutes.

Transférez le mélange dans une grande marmite, versez le bouillon et ajoutez la courge. Remuez, couvrez et laissez mijoter pendant environ 20 minutes.

Passez au mélangeur pour obtenir une consistance onctueuse.

Pour un goût plus crémeux, servez avec une grosse cuillerée de yogourt.

SOUPES

Soupe de carottes au miel et au gingembre

Pour 4 personnes

Ingrédients :

1 oignon

4 ou 5 carottes biologiques, râpées

1 petit morceau de gingembre frais, de la grosseur du pouce

Bouillon de légumes ou bouillon sans sel

2 grosses cuillers à dessert de miel

1 cuiller à dessert d'huile d'olive

Cette soupe, qui regorge de vitamine C, est incroyablement facile à faire.

Hachez l'oignon et faites-le blondir dans l'huile d'olive. Ajoutez 1 litre de bouillon (les magasins de produits naturels vendent du consommé sans sel qui permet de faire en un tour de main du bouillon de légumes délicieux).

Ajoutez les carottes.

Laissez cuire pendant 20 minutes puis ajoutez les deux grosses cuillerées de miel, râpez le morceau de gingembre et poursuivez la cuisson quelques minutes. Passez au mélangeur.

SOUPES

Soupe de lentilles express

Pour 2 personnes

Les lentilles sont très dépuratives. Cette recette est des plus faciles à préparer.

Ingrédients :

1 gros oignon
1 gousse d'ail
125 g de lentilles rouges cassées
850 ml de bouillon de légumes
1 cuiller à soupe de jus de citron
Huile d'olive
Poivre noir au goût

Hachez l'oignon et faites-le blondir dans l'huile d'olive. Ajoutez les lentilles et remuez pendant une minute. Versez le bouillon. Amenez à ébullition puis faites cuire à feu doux pendant 15 à 20 minutes ou jusqu'à ce que les lentilles soient cuites.

Au choix, vous pouvez passer la soupe au mélangeur ou la laisser telle quelle et la servir avec le jus de citron et un soupçon de poivre noir. C'est aussi simple que ça.

SOUPES

Potage aux navets et aux pommes

Pour 4 personnes

Ingrédients :

4 navets

2 pommes à cuire (il ne faut pas utiliser des pommes à croquer car elles perdent leur goût à la cuisson)

900 ml de bouillon de légumes

Huile d'olive

Un potage idéal en automne car il est un peu sucré et de saison.

Coupez les navets et les pommes en morceaux.

Faites-les revenir légèrement dans l'huile d'olive jusqu'à ce qu'ils aient un peu ramolli.

Mettez-les dans une grande casserole avec le bouillon et du poivre noir au goût.

Faites cuire à feu doux pendant environ 20 minutes.

Passez la soupe au mélangeur et servez-la très chaude, décorée de brins de persil.

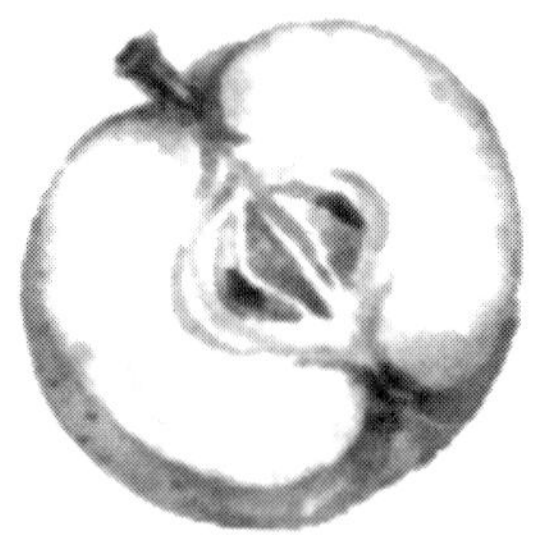

SALADES

Il y a salade et salade. Si vous êtes abonné à l'association concombre-laitue, lisez ce qui suit...

Salade de betterave, carotte et navet

Ce mets très coloré regorge d'ingrédients dépuratifs.

Ingrédients :

1 betterave crue, pas marinée
1 carotte
1 navet
1 petite poignée de radis
1 petite poignée de ciboulette fraîche
Sauce à l'huile et au jus de citron (voir plus loin)

Râpez la betterave, la carotte et le navet puis mélangez-les en ajoutant peu à peu la sauce. Décorez avec la ciboulette ciselée et les radis coupés en morceaux.

SALADES

Salade de brocoli et chou-fleur

Ingrédients :
1 petit chou-fleur
1 gros brocoli
Sauce à l'huile et au jus de citron
Aneth, pour assaisonner

Faites cuire à la vapeur ou faites bouillir le brocoli et le chou-fleur. Laissez-les refroidir puis coupez-les en gros morceaux. Nappez de sauce, saupoudrez d'aneth et servez.

SALADES

Salade de carottes au gingembre

Ingrédients :

175 g de carottes

2 pommes à dessert, moyennes

1 cuiller à thé de gingembre en poudre ou
1 cuiller à dessert de gingembre frais, râpé

1 branche de céleri

Jus de 1 citron

Râpez les pommes et les carottes et coupez le céleri en petits morceaux. Mélangez tous les ingrédients, en terminant par le gingembre. Arrosez avec le jus de citron.

SALADES

Salade de riz complet

Ingrédients :

100 g de riz complet, cuit
150 g de pois verts, légèrement cuits
2 carottes
1 poivron vert
Jus de 1 citron
Poivre noir
Cresson, pour décorer

Épépinez le poivron et coupez-le en lanières. Pelez les carottes et coupez-les en dés. Incorporez-les au riz ainsi que les pois verts et le jus de citron. Décorez avec du cresson avant de servir.

SALADES

Salade de tomates à l'italienne

Ingrédients :
4 grosses tomates, de préférence italiennes
1 avocat bien mûr
1 oignon
1 gros bouquet de feuilles de basilic frais
Sauce à l'huile et au jus de citron
Poivre noir au goût

Coupez les tomates en rondelles. Hachez l'oignon finement. Pelez et tranchez l'avocat. Mélangez délicatement les ingrédients en veillant à laisser les tomates intactes.

SALADES

Salade grecque

Ingrédients :

1/2 concombre
1/2 laitue iceberg
1 oignon
4 grosses tomates
1 grosse poignée d'olives noires, dénoyautées et rincées
100 g de feta
1 cuiller à soupe de jus de citron
2 cuillers à soupe d'origan frais, haché
Huile d'olive

Coupez le concombre en petits morceaux, hachez l'oignon, coupez les tomates et les olives en rondelles, et le fromage en cubes.

Mettez tous les ingrédients dans un bol et mélangez-les délicatement.

Mélangez bien le jus de citron, l'origan et l'huile d'olive.

Coupez en lanières la laitue préalablement lavée et disposez-la dans le fond du saladier. Posez par-dessus le mélange de fromage et de légumes et arrosez de sauce.

Servez sans attendre sinon la salade sera détrempée.

SALADES

Salade d'épinards et d'avocat

Ingrédients :

2 grosses poignées d'épinards frais
1 gros avocat, bien mûr
1 poignée d'olives noires, dénoyautées et rincées
2 cuillers à soupe d'huile d'olive
1 cuiller à soupe de jus de citron
1 gousse d'ail, écrasée

Coupez les épinards en gros morceaux et mélangez-les à l'avocat coupé en tranches et aux olives coupées en deux.

Mélangez l'huile d'olive, le jus de citron et l'ail et incorporez la sauce à la salade.

Servez aussitôt.

SAUCES À SALADE

Sauce sans huile

Ingrédients :
1 cuiller à soupe de jus de citron
4 cuillers à soupe de jus de pomme non sucré
1/3 de concombre, pelé
1/2 cuiller à soupe d'aneth frais, haché
1 gousse d'ail, écrasée
Poivre noir au goût

Placez tous les ingrédients dans le mélangeur et réduisez-les en une pâte homogène. Conservez au réfrigérateur.

SAUCES À SALADES

Sauce à l'huile et au jus de citron

Ingrédients :
2 cuillers à soupe d'huile d'olive
Jus de 1 citron
Poivre noir

Mélangez tous les ingrédients dans un contenant à couvercle et secouez énergiquement avant l'emploi.

SAUCES À SALADE

Mayonnaise

Ingrédients :
2 jaunes d'œufs
1/2 cuiller à thé de moutarde anglaise en poudre
1 grosse pincée de sel faible en sodium
2 cuillers à table de jus de citron
200 ml d'huile d'olive

Battez les jaunes d'œufs puis ajoutez la moutarde, le sel et le jus de citron.

Versez dans un mélangeur et, une fois le tout bien mélangé, ajoutez peu à peu l'huile d'olive. Il est très important de ne pas verser l'huile en une seule fois car les ingrédients se sépareraient et il vous faudrait recommencer.

Conservez au réfrigérateur.

PLATS PRINCIPAUX

Orge braisée aux légumes

Pour 6 personnes

Ingrédients :

2 cuillers à soupe d'huile d'olive

250 g d'orge perlé (en vente dans les supermarchés et les magasins de produits naturels)

250 g de rutabaga

250 g de pommes de terre

1 gros oignon

2 ou 3 carottes

2 ou 3 branches de céleri

250 ml de bouillon de légumes

Poivre noir au goût

Faites tremper l'orge dans de l'eau pendant toute une nuit. Le lendemain, hachez l'oignon et faites-le blondir dans de l'huile.

Coupez les carottes en dés et le céleri en tronçons d'un centimètre d'épaisseur. Ajoutez à l'oignon et prolongez la cuisson quelques minutes. Coupez le rutabaga et les pommes de terre en dés et ajoutez-les dans la marmite en même temps que l'orge et son eau de trempage. Mélangez bien le tout.

Ajoutez du poivre noir, couvrez et laissez mijoter pendant 40 minutes, en remuant de temps en temps.

Remarque : Remplacez le sel normal par du sel aux herbes ou à l'ail et employez ce dernier avec modération et en diminuant progressivement la dose.

PLATS PRINCIPAUX

Brocoli amandine

Pour 4 personnes

Ingrédients :

2 gros brocolis
2 gousses d'ail, écrasées
1 cuiller à soupe d'huile d'olive
1 cuiller à soupe de sauce soja à faible teneur en sel
2 cuillers à soupe d'amandes effilées

Lavez et équeutez le brocoli. Défaites-le en fleurettes.

Mettez les fleurettes dans de l'eau bouillante et laissez cuire au maximum deux minutes. Il faut qu'elles soient à peine tendres pour ne pas perdre tous les minéraux et les vitamines qu'elles renferment.

Égouttez le brocoli et disposez-le dans un grand plat de service.

Faites chauffer l'huile d'olive et faites revenir l'ail pendant deux minutes.

Ajoutez les amandes et faites cuire une minute de plus. Versez la sauce sur le brocoli, à la cuiller pour bien la répartir.

PLATS PRINCIPAUX

Pain de riz et de sarrasin

Pour 4 à 6 personnes

Ingrédients :

Huile d'olive
1 oignon
4 grosses tomates
75 g de sarrasin
30 g de riz complet
300 ml d'eau
1 petite poignée de basilic frais
Poivre noir au goût

Préchauffez le four à 190 °C (gaz, thermostat 6).

Hachez l'oignon et les tomates. Dans une casserole, faites chauffer une grosse cuillerée d'huile. Faites revenir l'oignon quelques minutes jusqu'à ce qu'il blondisse. Incorporez le sarrasin et le riz et poursuivez la cuisson pendant une minute.

Ajoutez l'eau, le basilic, les tomates et le poivre et amenez à ébullition. Réduisez le feu, couvrez et laissez mijoter jusqu'à ce que tout le liquide soit absorbé, ce qui prendra environ 20 minutes.

Versez dans un moule à gâteaux carré, de taille moyenne, graissé.

Faites cuire au four pendant 30 minutes et servez le pain chaud accompagné de pommes de terre, ou froid avec une salade.

PLATS PRINCIPAUX

Risotto aux noix de cajou

Pour 2 personnes

Ingrédients :

150 g de riz complet
1 poignée de noix de cajou, non salées
2 grosses tomates (de préférence italiennes), fraîches
6 maïs miniatures
1 poivron vert
1 oignon
2 cuillers à dessert d'huile d'olive

Bien que tout simple, ce plat est pourtant très savoureux grâce au mariage de légumes frais, croquants et de noix de cajou. Vous pouvez choisir d'autres légumes ; le céleri par exemple donne de bons résultats.

Pendant que le riz cuit, hachez l'oignon et faites-le blondir. Hachez grossièrement les tomates, coupez le poivron en dés et ajoutez-les à l'oignon en même temps que les noix de cajou.

Faites cuire à feu doux mais ne laissez pas les légumes ramollir ; il est préférable qu'ils restent croquants. En outre, plus les légumes cuisent longtemps, plus ils perdent leurs nutriments.

Incorporez au riz cuit et égoutté, puis servez.

PLATS PRINCIPAUX

Pilaf de poisson aux œufs durs
Pour 2 personnes

Ingrédients :
200 g de riz complet
2 filets de poisson fumé
3 œufs durs (si possible de poules élevées en liberté)
50 g de pois verts surgelés
2 ou 3 pommes de terre bouillies
Huile d'olive
Persil frais

Ce pilaf de poisson, appelé *kedgeree*, était un plat servi au petit déjeuner à l'époque victorienne. Et l'on comprend pourquoi : il vous remettra sur pied, même les jours les plus difficiles.

Il peut servir aussi de dîner simple et substantiel. Il faudrait toutefois utiliser absolument du riz complet car, avec du riz blanc raffiné, ce plat des plus élémentaires sera carrément fade.

Faites bouillir le riz et, pendant ce temps, faites frire un peu le poisson dans l'huile d'olive jusqu'à ce qu'il devienne opaque. Vous pouvez aussi acheter du poisson fumé qui est déjà cuit.

Le poissonnier pourra vous indiquer à quel endroit le poisson a été fumé et si l'on a utilisé ou non beaucoup de teintures chimiques. Forcément, quand il s'agit de détoxication, on recherche autant que possible le naturel. Le côté positif de ce changement, hormis celui de favoriser votre santé, c'est que la demande augmentera pour un procédé plus naturel de fumage du poisson, et tout le monde en bénéficiera.

Écalez les œufs et coupez-les en quartiers puis coupez les pommes de terre en cubes d'un centimètre.

Dès que le riz est cuit, égouttez-le puis remettez-le dans la marmite. Émiettez le poisson et incorporez-le délicatement au riz.

Ajoutez les pommes de terre et les œufs en prenant soin de ne pas les écraser dans la préparation.

Terminez en incorporant une grosse poignée de persil frais, haché et servez aussitôt.

PLATS PRINCIPAUX

Houmous

Ingrédients :

125 g de pois chiches cuits

2 cuillers à soupe de tahini (pâte de sésame vendue dans les magasins de produits naturels)

2 cuillers à soupe de jus de citron

2 gousses d'ail biologique

4 cuillers à soupe d'huile d'olive

Rincez les pois chiches et faites-les cuire dans de l'eau jusqu'à ce qu'ils deviennent tendres. Ne jetez pas l'eau de cuisson.

Ajoutez le tahini, le jus de citron, l'ail et l'huile d'olive. Mélangez grossièrement puis passez au mélangeur pour obtenir une pâte homogène.

Utilisez des pois chiches secs plutôt qu'en conserve car les pois chiches en boîte sont souvent additionnés de sel.

Ce mets a suffisamment de goût sans avoir besoin de sel et il est délicieux tartiné sur des galettes de riz ou mangé tel quel avec une salade.

PLATS PRINCIPAUX

Agneau au romarin

Ingrédients :
1 gigot d'agneau, désossé
1 grosse poignée de romarin frais
1 cuiller à thé de moutarde de Dijon
2 cuillers à thé d'huile d'olive

Préchauffez le four à 160 °C (gaz, thermostat 3).

Servez-vous du romarin pour farcir l'agneau et badigeonnez le gigot avec le mélange de moutarde et d'huile d'olive.

Déposez le gigot sur une tôle et faites-le rôtir au four pendant environ une heure et demie ou jusqu'à ce qu'il soit bien cuit.

Surveillez-le pour qu'il ne brûle pas.

Servez le gigot accompagné d'une salade et de pommes de terre nouvelles bouillies.

PLATS PRINCIPAUX

Champignons et noix de cajou à la Stroganov

Pour 4 personnes

Ingrédients :

1 oignon
350 g de champignons
200 g de noix de cajou, non salées
1 cuiller à soupe de farine de blé entier
150 ml d'eau
5 ml d'extrait de levure
1 feuille de laurier
150 ml de yogourt nature
Huile d'olive

Hachez l'oignon et faites-le revenir dans l'huile d'olive jusqu'à ce qu'il ait ramolli. Pendant ce temps, lavez et tranchez les champignons. Mettez-les dans la poêle avec les oignons blondis. Ajoutez ensuite les noix de cajou.

Faites cuire pendant une ou deux minutes avant de verser la farine en pluie et d'ajouter l'eau, la feuille de laurier et l'extrait de levure. Laissez mijoter deux ou trois minutes puis retirez du feu.

Incorporez le yogourt et servez sur un lit de riz complet.

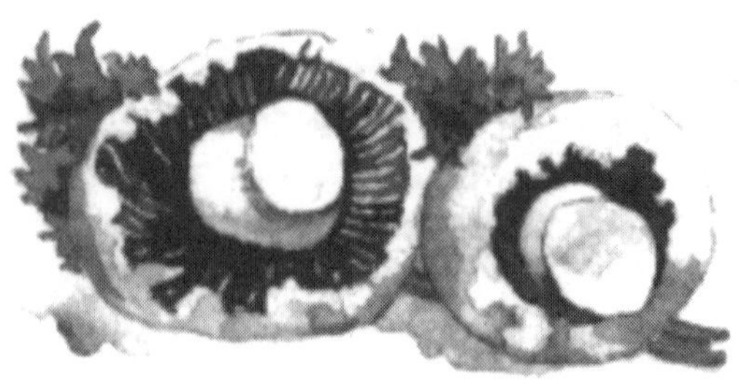

PLATS PRINCIPAUX

Pain de noix

Ingrédients :

225 g de noix mélangées
1 oignon
1 carotte
1 branche de céleri
1 cuiller à soupe de pâte de tomate biologique
1 grosse boîte de tomates
2 œufs
1 grosse poignée de persil frais, haché
Poivre noir au goût
Huile d'olive

Préchauffez le four à 220 °C (gaz, thermostat 7).

Faites chauffer l'huile pendant que vous hachez l'oignon, la carotte et le céleri. Ajoutez les légumes et faites-les revenir jusqu'à ce qu'ils soient tendres.

Ajoutez les tomates et la pâte de tomate et poursuivez la cuisson cinq minutes.

Battez les œufs puis ajoutez le persil, le poivre et les noix. Versez ce mélange sur les légumes.

Lorsque la préparation est bien mélangée, versez-la dans un moule à pain de taille moyenne, graissé, et cuisez au four pendant 30 à 35 minutes.

Une fois le pain cuit, démoulez-le et laissez-le refroidir avant de le décorer de quelques rondelles d'oignon.

Servez chaud, accompagné de pommes de terre ou de salade, ou des deux.

PLATS PRINCIPAUX

Poulet à l'orange

Ingrédients :

4 poitrines de poulet

1 orange biologique (dans ce cas-ci, c'est important car vous allez utiliser la peau de l'orange, or les oranges qui ne sont pas biologiques contiennent souvent des résidus de pesticides nocifs)

1 gousse d'ail, écrasée

1 cuiller à soupe de basilic frais, haché

Poivre noir au goût

Râpez la peau de l'orange à l'aide d'une râpe assez fine puis pressez le jus de l'orange. Mélangez l'ail, le basilic haché et le poivre.

À l'aide d'un couteau tranchant, pratiquez plusieurs entailles dans chaque poitrine de poulet puis disposez les poitrines sur une tôle. Versez la préparation à l'orange en la faisant pénétrer dans les entailles pour que la saveur de l'orange s'imprègne dans la chair. Si possible, laissez mariner pendant dix minutes, puis faites rôtir le poulet comme à l'ordinaire.

Servez sans attendre en nappant avec le jus resté dans la tôle.

PLATS PRINCIPAUX

Omelette aux pommes de terre persillée

Pour 2 à 4 personnes

Ingrédients :

4 pommes de terre moyennes

3 œufs (si possible biologiques ou de poules élevées en liberté)

2 cuillers à soupe de lait de soja

1 grosse poignée de persil frais

2 cuillers à thé d'huile d'olive

Poivre noir au goût

Faites bouillir puis écrasez les pommes de terre. Puisque les nutriments de la pomme de terre sont présents en majorité dans sa pelure, essayez de lui laisser autant que possible la peau. Si vous devez l'éplucher, servez-vous d'un épluche-légumes.

Séparez le jaune du blanc des œufs. Battez les jaunes puis incorporez-les à la purée. Ajoutez le persil finement haché et le poivre noir.

Battez les blancs d'œufs en neige puis incorporez-les à la préparation.

Faites chauffer l'huile d'olive, mais pas trop, et versez la préparation.

Faites cuire deux minutes puis pliez l'omelette et faites cuire chaque côté une ou deux minutes de plus.

PLATS PRINCIPAUX

Salade niçoise

Pour 2 à 4 personnes

Ingrédients :

1 boîte de thon (si possible sans sel ; sinon, optez pour du thon à l'huile d'olive ou de tournesol et rincez-le)

Petites pommes de terre nouvelles

2 œufs durs, écalés (si possible biologiques ou de poules élevées en liberté)

Haricots verts

1 citron

1/2 laitue ou 2 cœurs de laitue

1 poignée de feuilles de roquette

1 poignée de persil et de basilic, frais

Olives au choix, vertes ou noires

Huile d'olive

Poivre noir

Cette salade classique est incroyablement substantielle et elle ne ressemble en rien à de la « nourriture pour les lapins » !

Faites bouillir les pommes de terre à feu doux après les avoir lavées et en laissant si possible la pelure.

Pendant ce temps, lavez et hachez la laitue et les feuilles de roquette et disposez-les dans le saladier. Incorporez grossièrement les fines herbes et une cuiller à dessert d'huile d'olive.

Un truc de chef ingénieux consiste à huiler un peu le saladier avec de l'huile d'olive de sorte que, lorsque vous ajoutez les fines herbes, elles se collent sur les parois et vont se mélanger à la salade au lieu de s'agglutiner en « flocons ».

Égouttez le thon, défaites-le en morceaux et incorporez-le à la salade.

Égouttez les pommes de terre et laissez-les refroidir.

Faites cuire les haricots verts à feu doux (quelques minutes à l'eau bouillante devraient suffire) et laissez-les aussi refroidir.

Coupez les œufs en quartiers et ajoutez-les à la salade. Rincez les olives, coupez-les en deux et ajoutez-les à la salade.

Coupez les pommes de terre en deux. Ajoutez-les à la salade en même temps que les haricots verts et arrosez le tout d'un filet de jus de citron fraîchement pressé.

Ajoutez du poivre noir au goût et servez aussitôt.

PLATS PRINCIPAUX

Dhal épicé aux lentilles

Pour 6 personnes

Ingrédients :

1 gros oignon

3 gousses d'ail, écrasées

1 carotte en dés

250 g de lentilles rouges cassées

2 cuillers à thé de curcuma

2 cuillers à thé de graines de cumin

2 cuillers à thé de graines de moutarde

1 cuiller à thé de garam masala (un mélange d'épices)

4 poignées de coriandre fraîche ou 2 cuillers à thé de coriandre séchée (la fraîche est meilleure)

1 boîte de tomates, pelées et concassées

800 ml d'eau

1 pincée de poudre de chili

1 petit morceau de gingembre frais, râpé

Jus de 1 limette ou 1 citron

Huile d'olive

Poivre noir au goût

Ce plat prouve bien que la cuisine indienne ne comporte pas toujours du ghee, ce beurre entier employé dans de nombreux currys et que nous, les Occidentaux, apprécions beaucoup.

Le dhal constitue un souper très substantiel et il est particulièrement savoureux servi avec du riz basmati complet.

L'emploi d'épices indiennes authentiques, à la place de

la poudre de curry toute prête, est une véritable découverte pour le profane. Il permet de goûter vraiment chaque saveur individuellement. On peut trouver ces épices dans la plupart des supermarchés, dans les épiceries indiennes et dans les magasins de produits naturels.

Hachez d'abord finement l'oignon et faites-le blondir dans de l'huile.

Ajoutez l'ail écrasé, le cumin et les graines de moutarde (qui vont éclater, ne soyez pas surpris), la carotte et le gingembre.

Faites cuire quelques minutes, en remuant constamment.

Ajoutez ensuite le curcuma qui va donner au plat sa magnifique couleur et qui est lui-même un excellent détoxifiant. Ajoutez aussi la poudre de chili et le garam masala puis faites cuire une ou deux minutes. La préparation devrait maintenant dégager une odeur très appétissante.

Incorporez les lentilles, l'eau et les tomates en boîte. Saupoudrez de poivre noir et laissez mijoter pendant 45 minutes ou jusqu'à ce que les lentilles soient très bien cuites.

Incorporez le jus frais pressé de limette ou de citron ainsi que la coriandre fraîche.

Servez sur un lit de riz complet.

Remarque : Vous pouvez servir ce plat en guise de soupe épaisse en y ajoutant 250 ml d'eau.

PLATS PRINCIPAUX

Sauté de germes de soja

Pour 4 personnes

Ingrédients :

1 paquet ou 6 poignées de germes de soja

1 cuiller à thé d'huile de sésame

1 cuiller à soupe de sauce soja à faible teneur en sel

1/2 boîte de pousses de bambou, égouttées et coupées en julienne fine

1 grosse carotte

1 morceau de gingembre frais, de la grosseur du pouce

1 gousse d'ail, écrasée

Huile d'olive

Poivre noir

Les germes de soja sont un aliment de base de la cuisine chinoise parce qu'ils sont croquants et qu'ils sont riches en fer. Ils auraient aussi des propriétés détoxifiantes.

Coupez la carotte en julienne et râpez le gingembre.

Faites chauffer l'huile d'olive dans une poêle ou un wok. Une fois qu'elle est chaude, mettez-y le gingembre et l'ail et faites-les revenir une ou deux minutes. Ajoutez la carotte et les pousses de bambou et continuez à remuer.

Au bout de quelques minutes, ajoutez les germes de soja et le poivre noir et remuez deux ou trois minutes de plus.

Pour terminer, mélangez la sauce soja et l'huile de sésame, arrosez le plat de ce mélange et servez aussitôt.

PLATS PRINCIPAUX

Poivrons farcis

Pour 2 à 4 personnes

Ingrédients :

75 g de riz complet, cuit
4 poivrons rouges
1 tranche épaisse de chèvre
1 gousse d'ail, écrasée
1 grosse poignée de feuilles de basilic frais
Huile d'olive

Rincez les poivrons et coupez-les en deux dans le sens de la longueur, en retirant la queue et les pépins.

Déposez-les, debout, sur une plaque de four et faites-les cuire à 180 °C (gaz, thermostat 4) pendant quelques minutes pour qu'ils ramollissent un peu.

Dans un bol, mélangez le fromage, le riz, le basilic et l'ail et farcissez les poivrons avec ce mélange.

Arrosez d'un filet d'huile d'olive, remettez au four et faites cuire 15 à 20 minutes.

Servez les poivrons accompagnés d'une salade verte.

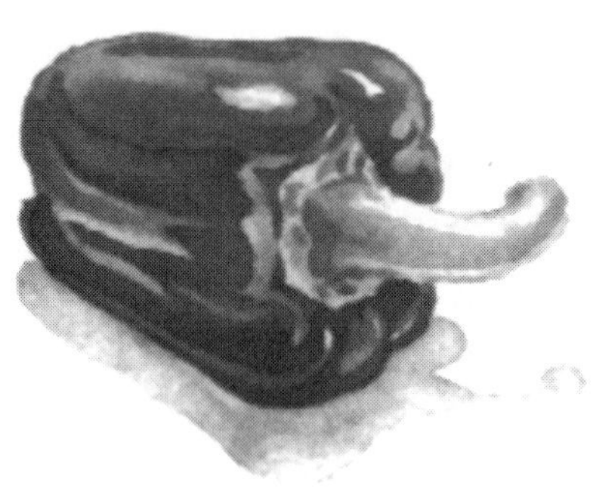

PLATS PRINCIPAUX

Ragoût de haricots rouges à la tomate

Ingrédients :

1 grosse boîte de haricots rouges (les haricots en conserve conviennent car il est difficile de faire cuire les haricots rouges secs comme il faut)

1 grosse boîte de tomates (ou 3 tomates fraîches, pelées ; la conserve est simplement plus pratique)

2 oignons

3 carottes

2 branches de céleri

1 gros poireau

2 gousses d'ail, écrasées

300 ml de bouillon

Poivre noir au goût

700 g de pommes de terre

Huile d'olive

Préchauffez le four à 180 °C (gaz, thermostat 4). Dans une grande cocotte, faites chauffer une ou deux cuillers à soupe d'huile pendant que vous hachez les oignons. Faites revenir les oignons pendant cinq minutes, sans toutefois les faire brunir.

Pendant ce temps, hachez les carottes, le céleri, le poireau et ajoutez-les en même temps que l'ail. Faites cuire environ 5 minutes.

Égouttez les haricots rouges et ajoutez-les. Versez les tomates et leur jus et assaisonnez avec du poivre. Mélangez bien.

Coupez les pommes de terre en rondelles et disposez-les

par-dessus le reste, en saupoudrant chaque couche de poivre noir.

Ajoutez un petit peu de beurre ou badigeonnez la surface de lait avant d'enfourner et de faire cuire, à couvert, pendant 2 heures.

Ôtez le couvercle et poursuivez la cuisson 30 minutes, jusqu'à ce que le dessus soit bien doré.

PLATS PRINCIPAUX

Méli-mélo de légumes

Ingrédients :

1 aubergine

6 gombos

250 g de pois verts surgelés

250 g de haricots verts

4 courgettes

2 oignons

450 g de pommes de terre

1 gros poivron rouge

1 boîte de tomates italiennes, pelées, sans sel ou ail ajoutés

150 ml de bouillon de légumes

4 cuillers à soupe d'huile d'olive

3 grosses poignées de persil frais, haché

1 cuiller à soupe de paprika

Pour la garniture :

1 courgette

3 tomates

Grâce au paprika, ce plat généreux est très réconfortant par une journée froide d'hiver.

Si vous avez d'autres légumes à votre disposition, n'hésitez pas à les ajouter à la recette ou à les substituer à ceux qui sont suggérés.

Faites d'abord bouillir les pommes de terre, toujours en essayant de conserver un maximum de leur pelure.

Préchauffez le four à 190 °C (gaz, thermostat 5).

Coupez les gombos en deux dans le sens de la longueur et l'aubergine en dés. Lavez les courgettes et coupez-les en rondelles. Équeutez les haricots verts et mettez-les avec les pommes de terre quelques minutes pour les blanchir. Hachez finement les oignons. Épépinez le poivron et coupez-le en dés.

Mettez tous les légumes dans une cocotte. Remuez délicatement à l'aide d'une cuiller en bois.

Ajoutez les tomates en boîte et leur jus, le bouillon, l'huile d'olive, le persil et le paprika.

Remuez de nouveau délicatement et garnissez le dessus avec les tomates et la courgette coupées en rondelles.

Couvrez et faites cuire au four pendant 1 heure.

Servez très chaud.

PLATS PRINCIPAUX

Terrine de poisson blanc

Pour 4 personnes

Ingrédients :

450 g de poisson blanc frais, tel que aiglefin ou merlan. (Demandez au poissonnier de retirer les arêtes et la peau.)

900 ml de bouillon de poisson (vous pouvez acheter des cubes de court-bouillon ; optez pour une variété à faible teneur en sel)

25 g de beurre non salé biologique

25 g de farine tout usage

3 cuillers à soupe de lait de chèvre ou de brebis

2 œufs (si possible biologiques ou de poules élevées en liberté)

85 ml de crème fraîche ou de yogourt nature biologiques

1 grosse poignée de persil frais

4 cuillers à soupe de chapelure complète

Jus de 1 citron

Poivre noir au goût

Cette terrine peut faire office de dîner à la fois savoureux et raffiné. Personne ne pourrait deviner que vous suivez une cure détox. En outre, elle est riche en gras oméga-3 et on peut la préparer à l'avance.

Préchauffez le four à 160 °C (gaz, thermostat 3).

Faites pocher le poisson dans le court-bouillon, jusqu'à ce qu'il soit tendre.

Retirez le poisson tout en conservant le liquide de cuisson puis écrasez-le bien à la fourchette.

Dans une casserole, faites fondre le beurre, ajoutez la farine et remuez constamment pendant environ une minute.

Mélangez le lait et environ cinq cuillers à soupe de court-bouillon. Versez ce liquide sur le mélange de beurre et de farine, en remuant constamment.

Ajoutez le poisson écrasé.

Séparez le jaune du blanc des œufs. Battez les jaunes puis ajoutez la crème fraîche ou le yogourt ainsi que le jus de citron, du poivre noir et éventuellement une goutte d'essence d'anchois pour une saveur additionnelle.

Ajoutez le tout dans la casserole, en même temps que le persil lavé et haché.

Battez les blancs d'œufs en neige ferme et incorporez-les au reste.

Mettez la chapelure dans un moule à pain bien graissé puis versez la préparation de poisson.

Couvrez avec du papier aluminium et faites cuire au bain-marie pendant environ une heure, le temps normalement nécessaire pour que la terrine ait pris et monté. (Un bain-marie consiste à placer un moule dans un contenant plus grand, rempli d'eau. Cette méthode de cuisson permet à un mets de cuire lentement.)

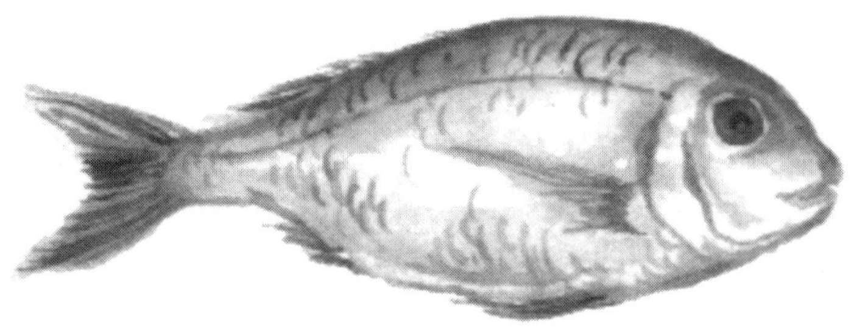

PLATS PRINCIPAUX

Pennes complètes au pesto et aux tomates cerises

Pour 2 personnes

Ingrédients :

150 g de pennes complètes
2 poignées de tomates cerises
2 cuillers à soupe de pesto biologique
1 oignon
Huile d'olive
Poivre noir au goût

En plus d'avoir un goût frais, ce plat tout simple est nourrissant. Il vous fournira beaucoup de glucides, et donc d'énergie, à libération lente. Il convient très bien pour un dîner spécial ou un souper léger.

Faites d'abord cuire les pennes dans l'eau bouillante. N'ajoutez pas de sel dans l'eau. Par contre, un filet d'huile empêchera les pâtes de coller.

Hachez l'oignon et faites-le blondir – pas brunir – dans l'huile d'olive chaude. Ajoutez le pesto et remuez bien pour former une pâte.

Égouttez les pâtes. Incorporez au pesto les tomates cerises lavées puis versez la sauce sur les pâtes et servez.

DESSERTS

Flan aux pommes

Pour 4 personnes

Ingrédients :

3 pommes à cuire, de bonne grosseur

150 ml d'eau

1 bonne pincée de cannelle

2 œufs (si possible biologiques ou de poules élevées en liberté)

Allumez le four à 180 °C (gaz, thermostat 4).

Dans une casserole, mettez l'eau, la cannelle et les pommes pelées et coupées en morceaux. Faites chauffer à feu doux jusqu'à ce que les pommes commencent à se transformer en compote.

La cannelle neutralise l'amertume des pommes. Si vous voulez un entremets encore plus sucré, au lieu d'utiliser du sucre, vous pouvez ajouter une poignée de raisins de Corinthe.

Versez la préparation dans un mélangeur en même temps que deux œufs légèrement battus.

Une fois le mélange bien homogène et lisse, versez-le dans un plat allant au four de 20 cm et faites cuire au four pendant 25 à 30 minutes.

Le flan est cuit quand le dessus est doré et ferme au toucher.

DESSERTS

Poires au four

Ingrédients :

4 poires mûres

4 cuillers à soupe de sarrasin cuit

100 ml de jus de mûre ou de framboise (Si vous n'en trouvez pas, utilisez des fruits en conserve, pourvu qu'ils contiennent du vrai jus de fruit et non du sirop. Vous pouvez garder les fruits pour un autre usage ou vous en servir pour farcir les poires.)

1 bonne pincée de cannelle

4 clous de girofle

Noix de muscade fraîchement râpée

Huile d'olive

Ce dessert délicieusement épicé convient particulièrement au moment de Noël. Il est beaucoup moins intoxicant que le gâteau aux fruits traditionnel de Noël.

Préchauffez le four à 180 °C (gaz, thermostat 4).

Coupez les poires dans le sens de la longueur, en retirant les pépins et un peu de chair. Réservez la chair.

Mélangez la chair des poires avec le sarrasin, la muscade et le jus de mûre ou de framboise, jusqu'à ce que le mélange soit humide.

Réservez un peu de jus pour plus tard.

Farcissez les poires avec le mélange puis replacez les deux moitiés de poire ensemble.

Badigeonnez la peau des poires d'un peu d'huile d'olive puis disposez-les dans un plat allant au four pour les empêcher de s'ouvrir.

Saupoudrez d'un peu de cannelle et piquez un clou de girofle au sommet de chaque poire.

Versez le jus restant dans le plat et arrosez les poires de temps à autre en cours de cuisson. Faites-les cuire de 10 à 15 minutes.

DESSERTS

Crème à la banane et aux amandes

Pour 4 personnes

Ingrédients :

200 g de tofu frais
200 g de bananes
75 g d'amandes moulues
1 pincée de cannelle
1 petite poignée d'amandes effilées, pour décorer

Cet entremets, d'une consistance crémeuse agréable, ne prend que quelques minutes à préparer.

Écrasez ensemble les bananes et le tofu. Passez-les au mélangeur pendant une ou deux minutes pour obtenir une pâte très homogène. Transvasez la crème dans des coupes et placez-les au réfrigérateur.

Juste avant de servir, saupoudrez d'un peu de cannelle et de quelques amandes effilées.

DESSERTS

Crumble aux bananes

Pour 4 personnes

Ingrédients :

4 bananes (plus elles sont mûres, mieux c'est ; elles peuvent même être noires)

100 g de flocons d'avoine à cuisson rapide

1 cuiller à soupe de tahini

Quelques amandes effilées

Les fruiteries vendent souvent bon marché des bananes trop mûres. La prochaine fois que vous en trouverez, achetez-les pour préparer ce dessert à la fois sucré et réconfortant.

Après avoir écrasé les bananes, disposez-les dans le fond d'un plat allant au four. Vous n'avez besoin d'ajouter aucune forme d'édulcorant car les bananes mûres sont naturellement très sucrées.

Mélangez les flocons d'avoine et le tahini puis étendez le mélange sur les bananes.

Parsemez d'amandes effilées et faites cuire au four à 160 °C (gaz, thermostat 3) pendant environ 20 minutes.

Servez le crumble seul ou accompagné d'une grosse cuillerée de yogourt nature à la place de la crème.

DESSERTS

Yogourt glacé

Pour 4 personnes

Ingrédients :

250 g de fruits mous : baies, pêches, prunes, nectarines

1 cuiller à thé de miel

300 g de yogourt nature

Ce n'est pas vraiment de la crème glacée mais c'est quand même délicieux et ça fond dans la bouche.

Lavez et dénoyautez les fruits. Passez-les au mélangeur, avec le miel, jusqu'à ce que la préparation soit très onctueuse.

Il existe deux modes de préparation. Vous pouvez ajouter le yogourt à ce moment-là et mettre le tout au congélateur pendant deux à trois heures. Le jus des différents fruits « déteindra » sur le yogourt.

Si vous voulez obtenir un contraste de couleurs – la couleur des fruits ressortant sur le yogourt blanc – vous devez d'abord faire congeler les fruits pendant deux à trois heures. Retirez-les du congélateur, cassez-les en petits morceaux, ajoutez-les au yogourt et remettez le tout au congélateur pendant deux à trois heures de plus.

Comme pour de la crème glacée, sortez le yogourt glacé du congélateur 10 à 15 minutes avant de le servir.

Le foie

D'un poids de 1,5 kg, le foie est l'organe le plus volumineux du corps humain. Il produit et sécrète la bile et 1,7 l de sang y circule à chaque minute.

Sans lui, on mourrait et, s'il ne fonctionne pas bien, on se retrouve avec tout un éventail de problèmes de santé.

Deux veines approvisionnent le foie. L'artère hépatique, une veine simple qui se divise à l'intérieur du foie en dizaines de capillaires, achemine vers le foie le sang riche en oxygène ainsi que les nutriments. Une fois ces éléments absorbés, le sang est renvoyé vers le cœur et les poumons pour les ravitailler.

La veine porte achemine vers le foie les nutriments extraits des aliments qui sont passés par le tube digestif.

En échange de tout ce qu'il reçoit, le foie doit remplir une quantité de fonctions.

L'ORGANE DE LA DÉTOXICATION

Le monde moderne est un lieu très toxique, surtout dans les zones urbaines. Même si nous consommons des aliments de culture biologique, faisons beaucoup d'exercice et respirons profondément, nous absorbons tous les jours de notre vie un incroyable mélange de substances chimiques, que ce soit par les tuyaux d'échappement des voitures ou simplement en utilisant des aérosols de toutes sortes.

Ces produits nocifs doivent être traités, sinon ils circuleraient sans fin autour de nous tout en s'accumulant de plus en plus. C'est le foie qui effectue ce travail en transformant toutes ces substances afin qu'elles puissent être évacuées de la bonne manière.

Le foie traite aussi deux des toxines les plus populaires auprès des êtres humains et ingérées délibérément par eux : l'alcool et la cigarette. Si on lui donne trop de travail, cependant, il ne sera plus capable de répondre à la demande.

L'ALCOOL

De plus en plus, l'alcool sert de facteur de cohésion sociale. Nous faisons la connaissance de notre partenaire dans un club. Quand nous avons un événement à fêter, nous trinquons. À l'approche de Noël, nous faisons des réserves de vin et de bière pour nos invités et seul le plus ennuyeux des rabat-joie n'aurait pas d'alcool chez lui en cette période de l'année.

Et tout cela est correct, à condition que nous reconnaissions quand notre corps a eu son compte.

Les lignes directrices en matière de santé suggèrent un maximum de 14 unités par semaine pour les femmes et de 21 par semaine pour les hommes, de préférence réparties sur plusieurs jours, séparés par un ou deux jours d'abstinence.

Visez deux à trois verres (ou unités ; une unité équivaut

à 250 ml de bière, un petit verre de vin, une mesure d'alcool fort) par jour. Si vous trouvez cela difficile, essayez d'allonger une unité de boisson alcoolisée avec du tonic ou du jus d'orange. Ou encore alternez une boisson alcoolisée avec une boisson qui ne l'est pas.

Pour certaines personnes, il est impossible de résister à la boisson lorsqu'elles se trouvent en société. Si tel est votre cas, il faudrait peut-être restreindre vos activités sociales. Ce geste peut sembler drastique mais il y va de votre santé.

Si vous craignez de perdre le contact avec certains amis, trouvez des moyens de socialiser sans boire. Proposez-leur une sortie au cinéma ou invitez-les à souper chez vous, là où il vous est plus facile de contrôler ce que vous buvez.

Ne vous bernez pas en vous disant que si vous buvez beaucoup d'eau par la suite, vous pourrez éviter les effets néfastes de l'alcool. Cela vous permettra d'être moins déshydraté mais les toxines, elles, auront été bel et bien ingérées et il faudra quand même vous en débarrasser.

Nous devons réellement faire attention à notre consommation d'alcool car, en trop grande quantité, il peut carrément détruire notre foie et, par la même occasion, nous détruire aussi.

L'alcool éthylique ou éthanol, l'ingrédient actif principal de la plupart des boissons alcoolisées, provient de la fermentation de l'amidon ou du sucre. Pour donner aux boissons leur arôme particulier, on y ajoute d'autres substances appelées des congénères qui seraient, croit-on, responsables de la gueule de bois.

L'alcool est un puissant diurétique, ce qui explique pourquoi, le lendemain de la veille, au réveil, vous avez très soif et mal à la tête. En buvant un demi-litre d'eau après avoir bu de l'alcool, vous pouvez réduire quelque peu ces inconvénients.

Même si c'est un glucide, l'alcool ne procure que des calories vides, ce qui veut dire qu'il n'a presque aucune valeur nutritive. Même les vins biologiques et les bières de qualité ne constituent aucun apport nutritionnel, malgré le marketing axé sur l'aspect «sain» de ces produits.

Quand on consomme de l'alcool, il est absorbé très rapidement par le système sanguin. Plus rapidement encore s'il est pris à jeun car la nourriture présente dans l'estomac peut absorber une partie de la boisson et l'empêcher de rejoindre aussi vite la circulation sanguine.

Une fois dans l'organisme, une très petite quantité d'alcool est rejetée par les poumons. C'est pourquoi on fait passer un alcootest aux conducteurs suspectés de conduire en état d'ivresse.

Toutefois, c'est au foie que revient la responsabilité de traiter l'alcool pour lui donner une forme sous laquelle il va pouvoir être évacué.

Pendant qu'il est occupé à cette tâche, le foie ne peut pas remplir ses autres fonctions vitales, ce qui explique que vous ayez une crise de foie et que vous vous sentiez fatigué après un excès de boisson.

Un abus prolongé d'alcool risque d'hypertrophier le foie et de le rendre gras; un gros buveur sur cinq développe une cirrhose. Cette affection peut entraîner un cancer du foie ou une insuffisance hépatique mortelle.

LA CIGARETTE

À moins d'avoir vécu sur une autre planète pendant les dix dernières années, vous devriez savoir que fumer n'est pas bon pour la santé.

Malheureusement, cette évidence n'empêche pas le nombre de fumeurs d'augmenter d'une année sur l'autre, surtout chez les femmes et les adolescents.

Nous fumons pour toutes sortes de raisons : parce que ça nous rend plus heureux (dans les années 1920, les médecins prescrivaient même le tabac aux femmes au foyer dépressives), parce que le tabac nous coupe l'appétit, que nos amis le font, que ça fait « cool » ou que ça nous donne quelque chose à faire avec nos mains.

C'est très dommage mais il y a un prix à payer pour tout ça.

Le fait de fumer réduit notre capacité pulmonaire, expose notre organisme à des milliers de toxines présentes dans chaque cigarette et épuise notre réserve de vitamines.

Le foie, responsable une fois de plus d'éliminer lesdites toxines, n'aime pas plus que les poumons que nous fumions. Ce qui lui déplaît surtout, c'est qu'il doive faire appel à ses réserves de vitamine B12 pour traiter le cyanure présent dans la fumée de cigarette. Les aliments complets, la viande maigre et le poisson peuvent renouveler en partie cette vitamine mais ne vaudrait-il pas mieux se passer d'intermédiaire et cesser tout simplement de fumer ?

AUTRES DROGUES ET MÉDICAMENTS

Les drogues achetées chez un revendeur ou les médicaments prescrits par votre médecin imposent un stress au foie qui doit, là encore, les traiter et les transformer pour l'évacuation.

Si vous avez suivi un traitement médical ou si vous êtes toxicomane et sur le point ou déjà en train de vous désintoxiquer, votre foie aura besoin de beaucoup d'attention.

Méfiez-vous aussi des drogues de la vie courante.

Un cappuccino aux airs bien innocents est bourré de

toxines, le thé et le chocolat le sont aussi. Vous devriez éviter même les variétés décaféinées.

LA DIGESTION DES GRAISSES

Les graisses sont insolubles dans l'eau. Par conséquent, quand vous en consommez, vous avez besoin de quelque chose pour vous aider à les digérer, sinon elles vont passer dans votre système sans être digérées et donc sans fournir aucune valeur nutritive. Et bien que cela semble une bonne chose à ceux qui assimilent la graisse des aliments à la graisse corporelle, faites confiance à la profession médicale qui affirme que ça ne s'équivaut pas.

Sans les acides gras essentiels, et comme le dit bien le qualificatif «essentiels», votre organisme ne peut pas fonctionner et vous mourez. Ils sont indispensables pour que le système nerveux fonctionne, pour que les cellules se régénèrent et se réparent, pour que le sang coagule et que le cerveau reste en activité.

Toutefois, il ne suffit pas de les consommer. Il faut pouvoir les traiter et en extraire les principes nutritifs, et c'est là que le foie entre en jeu.

Pour faciliter la digestion des graisses, on a besoin de la bile et c'est ce qu'excrète le foie. Quand on mange, la bile est acheminée du foie au duodénum situé à l'extrémité supérieure de l'intestin grêle, où elle contribue à transformer les globules de graisse en globules de plus en plus petits. En bref, la bile sert d'agent émulsifiant en décomposant les huiles et les graisses en gouttelettes.

En présentant une superficie globale beaucoup plus grande que les globules de plus grosse taille, ces minuscules globules facilitent l'extraction des nutriments effectuée par les bactéries intestinales avant que les graisses quittent le tube digestif et soient évacuées.

Quand on ne mange pas, la bile sécrétée par le foie est stockée dans la vésicule biliaire d'où elle est acheminée au fur et à mesure des besoins. Si une trop grande quantité de bile est stockée pendant trop longtemps, il peut en résulter des calculs biliaires. Un foie en santé produit jusqu'à un demi-litre de bile par jour. Une partie de cette bile est évacuée en même temps que les déchets de l'organisme et elle donne aux matières fécales humaines leur couleur. Sans la bile, nos selles seraient d'un gris pâle.

Le reste de la bile est réabsorbé par le foie. C'est ce qu'on appelle la circulation entéro-hépatique et elle se produit environ six à huit fois par jour, selon la fréquence à laquelle nous mangeons.

LA DIGESTION DES PROTÉINES

Le foie joue un rôle excessivement important dans la digestion des protéines. En fait, 95% des protéines présentes dans le système sanguin sont synthétisées par le foie.

L'albumine est l'une d'elles et un faible taux d'albumine dans le sang traduit une maladie ou un dommage du foie. L'albumine est d'une importance considérable car elle régularise les taux hydriques dans le sang. Une quantité trop faible de cette protéine risque de causer un déséquilibre grave, se manifestant parfois par de la rétention d'eau.

Les protéines sont également indispensables pour régulariser la tension artérielle et faire en sorte que le sang soit suffisamment visqueux sans être trop épais.

Une autre fonction des protéines consiste à se lier à d'autres substances, comme les vitamines et les minéraux, et à les acheminer dans les zones de l'organisme qui en ont besoin.

Lorsque, dans l'intestin, une protéine est finalement décomposée en acides aminés, de l'ammoniaque est libéré. L'ammoniaque est une substance hautement toxique que l'organisme n'a pas vraiment envie de conserver. Le foie vient encore une fois à la rescousse, en extrayant l'ammoniaque du sang, lors du passage de celui-ci dans le foie via la veine porte, et le transforme en urée beaucoup moins toxique.

LE GLYCOGÈNE

Le taux de glucose dans le sang s'élève chaque fois qu'on mange. Cet effet est encore plus accentué lorsqu'on consomme un aliment sucré.

Une partie de ce glucose sert de source énergétique pour l'organisme et le surplus est traité de deux manières différentes.

Le pancréas produit l'insuline qui aide à abaisser le taux de glucose. Le reste est converti en glycogène et stocké dans le foie et les muscles. L'organisme peut s'en servir comme source d'énergie quand le taux de sucre dans le sang commence à baisser. Le foie joue donc un rôle important de régulateur du taux de sucre sanguin, aussi appelé glycémie.

LES CELLULES DE KUPFFER

Les cellules de Kupffer font office de dragueuses de mines du foie. Elles enlèvent tous les déchets : cellules mortes, protéines indésirables, allergènes potentiels (une sensibilité soudaine à certains aliments pourrait être attribuable à un foie en mauvais état ou surchargé), toxines et hormones déjà utilisées.

LES AUTRES FONCTIONS DU FOIE

Le foie transforme l'acide lactique, le sous-produit de la

« réaction de lutte ou de fuite » dont on a parlé au début de l'ouvrage. Si le foie ne se chargeait pas de cette tâche, l'organisme se retrouverait dans un état de grande anxiété. Si vous vous sentez plus tendu que d'habitude, ce pourrait être dû à un foie paresseux.

Le foie stocke aussi la vitamine A qui est importante pour la vision (surtout nocturne), la vitamine B, le fer et le cuivre, et il produit des substances destinées à acheminer tous ces éléments vers la zone de l'organisme qui en a besoin.

COMMENT SE PORTE VOTRE FOIE ?

Le foie est une remarquable machine biologique. Il travaille incroyablement dur, en s'adaptant à toutes sortes de situations et d'aliments et pourtant, il est aussi incroyablement résistant et capable de se réparer maintes et maintes fois.

Il y a cependant des limites à ce qu'il peut endurer et comme pour tout le reste, ces limites varient d'une personne à une autre.

La constipation peut être un signe que le foie n'est plus capable de produire assez de bile pour stimuler suffisamment le péristaltisme, c'est-à-dire le mouvement des intestins destiné à expulser les déchets hors de l'organisme.

Si vous n'allez pas à la selle au moins une fois par jour – en fait, vous devriez y aller deux ou trois fois par jour – vous pourriez souffrir de constipation légère. Les maux de tête sont aussi un symptôme de la constipation, provoqués par une accumulation de toxines dans l'organisme. L'augmentation de la consommation de fibres préconisée dans le programme détox vous aidera énormément.

L'indigestion est un autre malaise courant qu'on peut associer à un foie paresseux.

Sans une quantité suffisante de bile nécessaire pour faciliter la digestion, les symptômes typiques d'une indigestion apparaissent : nausée, ballonnements, flatulences et aérophagie. Ce n'est pas un hasard si ces symptômes sont le plus souvent présents à des périodes comme celle des fêtes de fin d'année, alors que nous mangeons de plus grandes quantités de nourriture riche et grasse, que nous buvons plus que de raison et que nous faisons peu d'exercice.

Une cure détox ordinaire peut faire des miracles pour les personnes souffrant d'indigestion.

Un autre symptôme possible est la mauvaise haleine, aussi appelée halitose. Les problèmes dentaires et le manque d'hygiène buccale en constituent les causes les plus fréquentes.

Des abus de café, d'alcool et de cigarette peuvent aussi donner une sensation d'amertume dans la bouche.

Toutefois, les troubles digestifs peuvent aussi provenir d'une autre source, la plus probable de toutes, quand vous avez éliminé les deux autres. Si votre foie n'est plus en mesure de prendre en charge ce trop-plein d'aliments, ceux-ci risquent de rester en partie non digérés et enclins à produire des réactions chimiques indésirables qui provoqueront dans l'organisme la libération de gaz et de toxines désagréables.

Et où vont-ils se rendre ?

C'est assez dégoûtant à dire mais une grande partie va ressortir par votre bouche et vous aurez alors une haleine de chien.

Une augmentation des réactions allergiques peut aussi être la conséquence d'un foie fatigué.

Après tout, c'est l'organe chargé de traiter les allergènes

potentiels et s'il fonctionne mal, il risque de ne plus être en mesure de le faire. Dans un tel cas, vous ne supportez plus certains aliments ou bien votre peau réagit à une chose qui n'avait jamais provoqué de réaction auparavant.

Les maux de tête peuvent aussi être causés par des allergies ; surveillez donc toute augmentation de leur fréquence.

Ils peuvent bien sûr avoir d'autres causes mais en améliorant la santé de votre foie, vous pourriez atténuer ce problème.

Surveillez également toute baisse prolongée de votre énergie. Le foie étant responsable de régulariser le taux de sucre sanguin et de traiter le glycogène, il va sans dire que s'il ne fonctionne pas bien, vous allez vous sentir plus fatigué que d'habitude.

Dans un registre plus grave, les troubles cardiaques peuvent prendre leur source dans une défaillance du foie. En fait, si votre foie est incapable de digérer convenablement les graisses et que celles-ci se retrouvent en trop grande quantité dans le système sanguin, votre sang deviendra plus visqueux. Cela augmentera le travail de votre cœur, qui est chargé de faire circuler le sang dans tout votre corps, et il risquera d'être surmené.

Une alimentation riche en fibres, incluant de grandes quantités de fruits et de légumes frais, peut grandement aider le foie à surmonter ce problème.

UN COMPTE RENDU DE VOTRE SANTÉ

Pendant un mois, notez dans un cahier l'apparition de tous les malaises suivants :

- **Maux de tête**
- **Indigestion**

- **Constipation (c'est-à-dire moins d'une selle par jour)**
- **Flatulences/aérophagie**
- **Mauvaise haleine/langue pâteuse**

Examinez bien votre peau qui est l'un des meilleurs témoins de votre état de santé. En dépit de ce que peuvent en dire de prétendus «scientifiques» qui vendent des crèmes pour le visage, une peau desquamée, tachetée ou terne est davantage la conséquence de ce qui se passe à l'intérieur du corps que de ce que vous y tartinez à l'extérieur.

Une affection comme l'acné n'est pas causée, mais peut être exacerbée, par un foie paresseux. Surveillez l'apparition d'eczéma ou de dermatite qui sont souvent attribuables aux allergies. Il est connu que des réactions allergiques peuvent être atténuées par quelques petits soins particuliers au foie.

Prenez également en note toute fatigue ressentie au lever, au cours de la journée et en soirée. Avez-vous remarqué que vous avez l'habitude de manger pour venir à bout de la fatigue? Carburez-vous au café et à la cigarette? Pendant le week-end, essayez-vous de rattraper un manque de sommeil sans jamais réussir à récupérer vraiment? Est-ce que toute activité physique vous épuise?

Si vous êtes incapable de perdre du poids alors que vous l'avez déjà fait assez facilement, une fatigue du foie peut en être la cause. Dès lors que vous admettez que le foie est aussi vital pour la digestion que l'estomac et les intestins, vous vous rendez compte que toute diminution de ses performances va entraver l'efficacité d'un régime amaigrissant. Ainsi, à moins que vous ne subsistiez que sur la cigarette et les plats tout prêts bourrés de sel, la plupart des régimes amaigrissants vous aideraient à vous détoxiquer de manière naturelle.

Le dernier détail, mais non le moindre : prenez en note votre humeur. La déprime ou les sautes d'humeur peuvent être provoquées par un mauvais état de santé résultant d'un foie paresseux ou qui fonctionne mal.

Vous risquez d'être surpris par le nombre de petits malaises que vous ressentez de manière régulière. En général, à moins de souffrir d'un problème de santé très prononcé et invalidant, nous avons tendance à les ignorer en nous disant qu'ils partiront d'eux-mêmes. Il y a peu de chances qu'il en soit ainsi, mais une cure détox pourrait bien aider à les chasser.

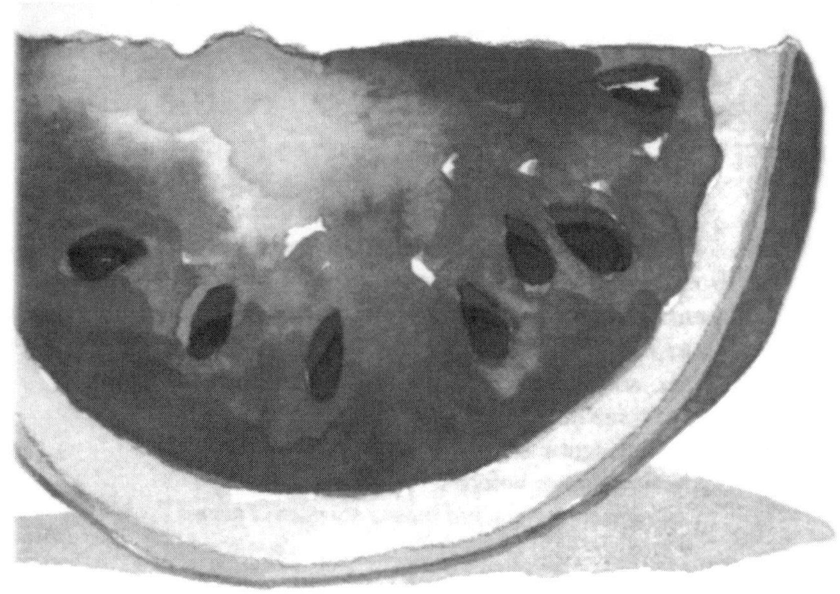

Le programme de mise en forme sans équipement (ou presque)

Ce programme d'une durée de sept jours est conçu pour augmenter votre performance cardiovasculaire, tonifier vos muscles et améliorer votre souplesse. Vous n'avez pas besoin de vous rendre dans un gymnase ni de posséder un équipement particulier. Tout ce qu'il vous faut, ce sont des vêtements amples et une bonne paire de chaussures de sport. Les meilleurs moments pour faire des exercices sont le matin au réveil ou bien après le travail, même s'il a été démontré qu'une série de plusieurs exercices brefs d'une durée totale de 30 minutes est aussi bénéfique que 30 minutes d'affilée.

JOUR 1

Le programme cardiovasculaire

Marche rapide

La marche rapide a mis du temps à devenir populaire mais comme elle est efficace et qu'elle comporte moins de risques de blessure que le jogging, elle est désormais un des loisirs qui prend le plus d'essor en Amérique.

Commencez par marcher à un rythme normal pendant au moins trois minutes pour échauffer vos muscles. Gardez vos abdominaux contractés, votre dos droit - mais quand même pas comme un général en chef - et frappez bien le sol, d'abord avec le talon puis avec la partie avant de la plante du pied. Poussez à l'aide des muscles situés à l'arrière des jambes et balancez les bras en rythme.

Après trois minutes d'un pas normal, augmentez la cadence à environ cinq kilomètres à l'heure. Pour obtenir un maximum de bienfaits, effectuez une minute de marche très rapide et une minute à grandes enjambées.

Terminez par deux minutes de marche normale pour récupérer.

Le renforcement musculaire

Déplacement assis-debout

Cet exercice est excellent pour muscler les cuisses et les fesses. Asseyez-vous sur une chaise, les pieds à plat sur le sol et les cuisses à angle droit avec les mollets.

Glissez-vous en avant de la chaise jusqu'à ce que vos fesses se trouvent sur le bord. Vos pieds doivent être écartés d'une distance légèrement supérieure à la largeur de vos épaules.

Pressez les talons, en gardant les abdominaux contractés et la poitrine soulevée. Levez-vous doucement puis rasseyez-vous lentement. Ne vous laissez pas tomber lourdement.

Répétez 12 fois.

Contraction de l'intérieur de la cuisse

Cet exercice est parfait pour muscler l'intérieur de la cuisse. Allongez-vous sur le côté, sur un tapis de gymnastique ou une couverture pliée en deux. Placez un bras sous votre tête pour la soutenir et coincez l'autre bras dans le premier.

Fléchissez la jambe supérieure et posez le genou sur une serviette pliée en veillant à ce que vos hanches soient bien alignées. Soulevez maintenant lentement la jambe supérieure. Vous devez sentir l'action du mouvement sur l'intérieur de la cuisse. Si vous la sentez ailleurs, c'est que vous ne faites pas l'exercice correctement.

Répétez 10 fois avec chaque jambe.

Contraction de l'extérieur de la cuisse

Cet exercice est identique au précédent, sauf que vous devez maintenant plier la jambe et lever la cuisse. Faites attention à ne pas la lever trop haut : 30 à 45 cm suffisent.

Ces deux contractions sont idéales pour raffermir les cuisses et elles vont donner des muscles plus longs, fuselés.

Remarque : Si vous essayez de perdre du poids, vous avez peut-être remarqué qu'il est particulièrement difficile de perdre de la graisse sur les cuisses. Ces deux exercices vous aideront beaucoup.

Contraction du fessier en position allongée

Cet exercice a pour but de raffermir les fesses. Mettez-vous sur le dos (en utilisant un tapis pour protéger vos vertèbres), les jambes légèrement écartées, les pieds à plat sur le sol, les genoux fléchis et les bras le long du corps.

Contractez longuement les abdominaux, les fessiers et l'arrière des cuisses. Soulevez lentement votre bassin mais pas au point d'arquer votre dos.

Répétez 12 fois.

La souplesse

Étirement du mollet

Les premiers étirements s'effectuent en position debout. Placez un pied un peu en arrière de l'autre, en gardant les orteils des deux pieds pointés vers l'avant, puis étirez bien votre mollet. Gardez la position de 10 à 20 secondes et répétez cinq fois avec chaque jambe. Comme dans le cas des étirements de yoga, étirez au maximum mais pas jusqu'à l'inconfort. La prochaine fois que vous referez l'exercice, vous serez un tout petit plus flexible.

Étirement de l'avant de la cuisse

Pour cet exercice, vous avez besoin d'une chaise pour garder votre équilibre. Placez-vous de côté par rapport à la chaise et tenez-la d'une main. Amenez votre talon vers votre fesse, en saisissant votre cheville avec votre main. Gardez les genoux légèrement fléchis et, si possible, joints. Répétez cinq fois avec chaque jambe.

Étirement du jarret en position allongée

Allongez-vous de nouveau sur le tapis. Les jambes fléchies et les pieds à plat sur le sol, amenez un genou vers votre poitrine. Étendez lentement cette jambe. Vous pouvez tenir votre genou pour le garder en position.

Gardez la position 10 secondes puis relâchez. Répétez cinq fois avec chaque jambe.

Étirement du genou

Gardez votre position allongée, les genoux pliés. Soulevez un genou et allez poser votre pied sur la cuisse de l'autre jambe. Cet exercice agira sur l'extérieur de la cuisse ainsi que la hanche. Comptez jusqu'à dix et répétez cinq fois avec chaque jambe.

Bravo ! Vous n'êtes plus qu'à six jours de la superforme !

JOUR 2

Le programme cardiovasculaire

Si vous vous sentez un peu raide après les exercices d'hier, commencez par un échauffement de cinq minutes. Vous pouvez faire cinq minutes de marche rapide ou monter et descendre l'escalier chez vous pendant le même temps.

Quand vous sentez que la circulation du sang est activée et que vos muscles sont un peu plus souples, vous êtes prêt à commencer.

Saut à la corde

Vous aurez besoin ici d'une corde qui soit suffisamment longue pour pouvoir sauter par-dessus. Cette corde, de qualité convenable, devra mesurer à peu près deux fois votre grandeur. Cela dit, les cordes à sauter d'enfant sont faciles à trouver et sont habituellement d'une longueur suffisante.

Commencez par marcher sur place pendant trois minutes en essayant de garder une cadence régulière. Pour vous aider, faites jouer une musique bien rythmée. Sautez à la corde pendant cinq minutes en retombant sur un seul pied plutôt que sur les deux pieds. Gardez les genoux légèrement fléchis et souples plutôt que raides et bloqués, pour vous assurer que ce sont les bons muscles qui travaillent.

Pour ceux qui n'ont jamais sauté à la corde, voici une façon plus simple de procéder. Effectuez simplement les mouvements que vous feriez si vous courriez, c'est-à-dire déplacez le poids de votre corps du talon vers l'avant du pied avec un pied et de l'avant du pied vers le talon pour l'autre pied. Pliez la corde pour qu'elle mesure un peu moins d'un mètre et faites-la tourner pour donner la cadence.

Cet exercice peut sembler facile mais il permet de brûler beaucoup de calories et c'est un bon exercice de musculation pour les jambes.

Une fois les cinq minutes passées, marchez pendant trois minutes de plus pour récupérer.

Le renforcement musculaire

Redressement partiel

Cet exercice est excellent pour muscler le buste et renforcer le bas du dos. Il est aussi conseillé aux coureurs car la course provoque un tassement de la colonne vertébrale et affaiblit le bas du dos ; le redressement partiel va contrer cet effet.

Il importe davantage ici d'effectuer l'exercice correctement que de le faire des centaines de fois. Visez la qualité, pas la quantité.

Couchez-vous sur le dos, sur un tapis ou une couverture pliée pour protéger votre colonne vertébrale. Placez vos mains délicatement derrière votre tête, vos pouces sur vos oreilles et vos doigts écartés pour supporter votre nuque. Vous pouvez aussi poser vos mains sur vos oreilles et avoir les coudes écartés de chaque côté de votre tête.

Prenez une profonde inspiration et, en expirant, soulevez-vous en contractant vos abdominaux. Redressez-vous de manière à ce que seules vos épaules quittent le sol puis redescendez lentement.

Les débutants répètent l'exercice 10 fois ; les gens en meilleure forme tentent les 20 fois.

Un bon moyen de savoir si vous mettez l'accent là où

il le faut, c'est d'adopter une approche « négative » qui consiste à se concentrer sur la deuxième partie de l'exercice, soit le retour à la position de départ, plutôt que sur le redressement lui-même.

Enroulement partiel

Cet exercice agit aussi sur le buste mais il faut l'exécuter avec précaution.

Allongez-vous sur le dos, les bras le long du corps, les paumes des mains vers le bas.

Prenez une profonde inspiration et, en expirant, amenez vos genoux vers votre poitrine, en contractant les abdominaux et en gardant les pieds joints.

Une fois que vos fesses se sont soulevées du sol, retournez lentement à la position de départ. Pour être efficace, cet exercice doit être exécuté avec lenteur, ce qui signifie que vous devez empêcher de laisser le mouvement naturel de bascule faire tout le travail. Luttez contre lui en marquant une pause pendant l'exercice et en ne vous laissant jamais retomber sur le tapis, aussi tentant que cela puisse être.

Répétez 10 fois si vous êtes un débutant, 20 fois si vous êtes en meilleure forme.

Élévation de la jambe à plat ventre

Cet exercice renforcera l'arrière de votre cuisse. Tournez-vous sur le ventre. Gardez les jambes tendues et jointes et posez votre tête sur vos mains pour être plus à l'aise.

En gardant les hanches au sol, levez lentement une jambe à quelques centimètres du sol puis reposez-la en douceur.

Répétez avec l'autre jambe et continuez en alternant les jambes pour compléter une série de 10 ou de 20 répétitions avec chaque jambe.

Faites attention à ne pas faire cet exercice trop rapidement. Un battement de jambes désordonné ne contribue en rien au tonus musculaire.

Redressement oblique

Vous terminerez aujourd'hui avec l'exercice suivant qui est excellent pour raffermir le ventre.

Remettez-vous sur le dos, les jambes légèrement fléchies et les pieds à plat sur le sol. Placez une main derrière votre tête, les doigts écartés comme précédemment pour soutenir la nuque. Gardez l'autre main libre.

Soulevez-vous lentement et, avec la main libre, allez toucher la cheville opposée. Répétez en alternant les jambes, 10 ou 20 fois avec chaque jambe.

La souplesse

Contraction invisible de l'abdomen

En un seul mouvement, cet exercice apporte tonicité et souplesse à la fois. On peut le pratiquer à peu près n'importe où, à n'importe quel moment. Il est très efficace pour rendre le ventre plat.

Bien qu'il soit portable, il est conseillé de le pratiquer d'abord devant un miroir, les mains posées à plat sur les cuisses pour s'assurer qu'on l'exécute correctement.

Inspirez profondément, expirez et lorsque vous avez fini d'expirer, rentrez le ventre aussi fort que possible. Comptez jusqu'à cinq en imaginant que votre nombril est aspiré vers votre colonne vertébrale.

Relâchez le ventre. Prenez une profonde inspiration et répétez le mouvement 20 fois.

Essayez d'exécuter ce mouvement deux fois par jour et, une fois que vous l'aurez perfectionné, vous pourrez l'effectuer pendant que vous regardez la télévision, que vous êtes assis à votre bureau ou bien coincé à un feu rouge en revenant du travail.

Ce mouvement est excellent pour stimuler le péristaltisme et il est préférable de l'effectuer à jeun car vous risqueriez d'avoir la nausée si votre estomac est plein.

JOUR 3

Vous risquez d'avoir des douleurs aux jambes aujourd'hui. C'est une bonne chose car cela signifie que le traitement fonctionne. Pour leur donner un répit, l'entraînement d'aujourd'hui se concentre sur le haut du corps que la plupart d'entre nous négligeons beaucoup, surtout les femmes, parce que nous avons tendance à faire une fixation sur les hanches et à oublier que des épaules bien dessinées et un buste svelte améliorent grandement notre silhouette.

L'objectif, c'est de donner au haut du corps une forme plus puissante, plus modelée. Il n'est pas question ici de culturisme mais simplement d'avoir un peu de muscle pour donner un brin de galbe à votre corps et augmenter votre métabolisme.

En réalité, le métabolisme varie peu d'une personne à une autre. La différence réside dans l'énergie dépensée (c'est pourquoi les personnes qui ont la bougeotte sont minces et celles du genre plus sédentaire sont grosses) et dans la masse musculaire que nous perdons à raison de 250 g par an à partir de 30 ans.

En règle générale, plus vous avez de muscle, plus vous brûlez de calories rapidement.

Ces exercices sont conçus pour renforcer vos muscles, de manière à avoir des muscles longs et maigres plutôt que gros et gonflés. Les étirements sont donc particulièrement importants puisqu'ils vont littéralement étirer le muscle. C'est ce qui explique que les danseurs classiques et les pratiquants du yoga soient maigres plutôt que costauds.

Si vous ne possédez pas d'haltères de 1,5-2,5 kg, servez-vous de bouteilles d'eau minérale de 500 ml remplies d'eau ou de sable. Si vous n'avez vraiment rien d'autre, deux boîtes de fèves au lard de 450 g feront aussi l'affaire... même si vous ne devriez pas acheter d'aliment aussi antidétox que des fèves au lard !

Le programme cardiovasculaire

L'entraînement d'aujourd'hui n'est pas vraiment structuré, ce qui vous prouve bien qu'on n'a pas besoin d'un gymnase ou d'exercices prescrits par un professionnel pour se mettre en forme. Vous aurez en revanche besoin de 30 minutes complètes.

Vous pourriez par exemple vous rendre au travail à pied car, si vous avez suivi la cure de sept jours, vous pourriez en être à votre premier jour de travail. Vous pourriez aussi aller promener le chien plus longtemps avant le souper ou encore aller faire de la natation ou du vélo au parc à l'heure du lunch. Veillez à ce que l'exercice soit suffisamment énergique pour activer la circulation sanguine et suffisamment agréable pour vouloir le pratiquer de nouveau.

Le conditionnement physique, c'est aussi simple que ça et c'est bien de le savoir.

Le renforcement musculaire

Pompe au mur

Cet exercice est une adaptation de la bonne vieille pompe de l'armée. Il renforce les muscles du buste et est particulièrement facile à exécuter.

Les mains posées au mur, à la largeur des épaules, et les bras tendus, tenez-vous les pieds écartés et la tête en alignement avec la colonne vertébrale.

Contractez vos abdominaux et penchez-vous vers le mur, en soulevant un peu les talons, jusqu'à ce que votre menton le touche.

Revenez ensuite en arrière en veillant à toujours garder le dos et la tête alignés.

Répétez 10 fois pour les débutants, 20 fois pour ceux qui sont en meilleure forme.

Flexion des bras en position penchée

Cet exercice renforce bien le dos. Gardez vos genoux pliés et votre dos droit.

En prenant appui sur le dos d'une chaise avec votre main gauche, penchez-vous en avant pour que votre dos soit parallèle au sol et votre bras droit le long du corps. Prenez un haltère de 1,5-2,5 kg (ou l'une des solutions de rechange proposées ci-dessus) dans votre main droite.

En gardant votre bras collé au corps, soulevez lentement l'haltère jusqu'à votre poitrine puis rabaissez-le, en gardant votre poignet et votre bras alignés.

Répétez 10 ou 20 fois de chaque côté.

Développé des épaules en position assise

Si vous voulez des épaules bien modelées, voici l'exercice qu'il vous faut. Asseyez-vous sur une chaise, le dos droit, de préférence contre le dossier de la chaise pour que le bas de votre colonne vertébrale soit soutenu. Tenez un haltère dans chaque main, à la hauteur des épaules.

Levez lentement les bras, sans les bloquer ni aux coudes ni lorsqu'ils sont en pleine extension. Baissez lentement les bras et répétez l'exercice en gardant les pieds à plat sur le sol et les abdominaux contractés.

Répétez 10 ou 20 fois.

Contraction des triceps

Cet exercice est difficile mais il est excellent pour modeler l'arrière des bras, une zone qui devient flasque même chez les gens les plus en forme.

Assis sur une chaise, tenez la chaise des deux mains et faites-vous glisser jusqu'à ce que vous soyez assis sur le bord, les pieds à plat sur le sol. Équilibrez votre poids entre vos pieds et vos mains puis descendez lentement votre fessier vers le sol, en gardant vos pieds à plat. Remontez ensuite lentement, en gardant le dos droit.

Répétez 10 ou 20 fois.

Si vous trouvez cet exercice trop difficile, commencez par une descente de faible amplitude et augmentez-la progressivement.

Les étirements

Comme au jour 1, faites les étirements du genou, du jarret en position allongée et de l'avant de la cuisse. Ajoutez les étirements du dos suivants.

Agenouillez-vous, les fesses sur les talons. Penchez-vous en avant à partir des hanches en tendant les bras et le dos vers l'avant, dans la position de prière musulmane.

Avancez peu à peu les mains pour étirer encore plus le bas du dos. Après avoir gardé la position de 15 à 20 secondes, reculez lentement vos mains puis redressez-vous.

Répétez cinq fois.

JOUR 4

Pendant vos exercices, essayez de vous concentrer sur les muscles que vous faites travailler afin de maximiser l'efficacité du mouvement.

Aussi bizarre que cela puisse paraître, des études ont démontré que le simple fait de penser à l'exercice physique améliorait notre forme, même si nous n'en faisions que peu. Quand vous exécutez un écart, concentrez-vous bien sur les muscles de la cuisse, sentez-les travailler et s'étirer. Durant les exercices d'aérobic, notez l'augmentation de votre rythme cardiaque, pensez à votre capacité pulmonaire qui s'accroît, à tout cet oxygène qui pénètre dans votre sang et à vos muscles qui se réchauffent comme une machine bien réglée.

En plus d'augmenter l'efficacité de vos mouvements, cette concentration augmentera les chances que vous exécutiez correctement les exercices et fera passer votre séance d'entraînement un peu plus vite.

Le programme cardiovasculaire

Step

Vous souvenez-vous du *Step*? C'était l'exercice en vogue au milieu des années 1990 car il nous mettait rapidement en forme. Toutefois, nous nous sommes vite lassés de monter et descendre une marche en plastique et, comme autant de trucs à la mode avant lui, il a fini aux oubliettes.

Mais il vous faut absolument diversifier votre programme d'entraînement et pas seulement pour éviter l'ennui. Si vous effectuez les mêmes exercices jour après jour, votre corps s'y habituera et vous atteindrez un palier. Pour progresser, il convient de donner à votre corps un choc. Et y a-t-il meilleur choc qu'un programme de marche exécuté au son d'une musique disco d'avant l'an 2000?

Si vous n'avez pas une marche en plastique qui dort dans un placard, servez-vous de tout objet solide mesurant environ 10 cm de hauteur. Une boîte peut faire l'affaire. Calez votre « marche » contre un mur pour qu'elle ne bouge pas.

Échauffez-vous en marchant sur place pendant trois ou quatre minutes. Placez-vous ensuite devant la marche et placez-y votre pied droit, en entier.

Placez votre pied gauche sur la marche – vous avez maintenant les deux pieds dessus – avant de redescendre le pied droit puis le gauche.

Répétez en commençant par le pied droit pendant quatre minutes puis en commençant par le pied gauche pendant quatre minutes.

Gardez les mains sur les hanches ou bien balancez les bras en rythme avec les pas. Les gens habitués au *Step* devraient utiliser des haltères et effectuer en même temps des développés des épaules.

Pour récupérer, terminez par une marche de deux ou trois minutes.

Le renforcement musculaire

Fente arrière

Cet exercice agit à merveille sur vos fesses et vos cuisses. Mettez-vous debout près d'une chaise que vous tiendrez pour garder l'équilibre.

Faites un grand pas en arrière avec votre jambe extérieure et pressez bien le talon de votre jambe intérieure. En soulevant votre talon arrière et en gardant vos abdominaux contractés, baissez le genou intérieur jusqu'à ce que la cuisse se trouve à angle droit avec le sol. Relevez-vous lentement en ramenant le pied arrière près du pied avant. Secouez vos jambes puis répétez l'exercice de l'autre côté.

Faites une séquence de 10 ou 20 exercices.

Élévation latérale de la jambe

Cet exercice agit sur les muscles de l'extérieur de la cuisse ; accordez-leur donc un maximum d'attention pour un maximum de résultat. Debout comme précédemment, transférez votre poids sur la jambe située près de la chaise. En gardant les genoux parallèles et les hanches alignées, levez la jambe extérieure latéralement en l'entraînant avec le talon. Évitez de faire balancer la jambe puisque vous visez une élévation de 45 cm maximum, puis retournez lentement à la position initiale. Répétez dix fois avec chaque jambe.

Conseil : Gardez une main posée sur votre abdomen pour vous assurer que vous gardez les muscles contractés et le buste droit pendant tout l'exercice.

Élévation croisée de la jambe

Cet exercice est un mouvement de ballet destiné à tonifier l'intérieur de la cuisse. Comme précédemment, concentrez-vous sur les muscles que vous utilisez.

Toujours debout, transférez votre poids sur la jambe extérieure en gardant les hanches alignées et les abdominaux contractés. En l'entraînant avec le talon, levez lentement la jambe intérieure et faites-la passer devant vous en gardant le genou légèrement fléchi et la colonne vertébrale très droite.

Lorsque vous avez effectué l'étirement maximal, ramenez la jambe à sa position initiale et répétez l'exercice 10 fois avec chaque jambe.

Pivotement du haut du corps

Quand vous faites cet exercice, songez que vous allez éliminer de votre taille quelques centimètres superflus.

Assis sur une chaise, dos droit, croisez vos bras sur votre poitrine et tournez lentement le haut de votre corps vers la droite, sans bouger les hanches.

Revenez lentement au centre puis tournez le haut de votre corps vers la gauche.

Répétez 10 à 15 fois de chaque côté.

La souplesse

Répétez les étirements du jour 3 mais essayez de les tenir pendant 10 secondes de plus chacun.

JOUR 5

Aujourd'hui, nous allons nous inspirer de Jane Fonda et aller jusqu'au bout. Bien qu'elle ait été quelque peu critiquée (la douleur n'a jamais fait de bien à personne), l'ardeur de madame Fonda à se rendre aux limites extrêmes du corps n'était pas totalement une erreur.

Si vous souhaitez augmenter votre forme physique et brûler du gras, vous devez y mettre du cœur.

Si possible, mettez des chaussures de sport solides et ayez sous la main de la bonne musique disco. Des recherches récentes ont montré que des morceaux comme «Eye of The Tiger» ou «Flashdance» sont vraiment très motivants. Par conséquent, même si vous vous sentez un peu embarrassé de faire de l'exercice au son d'une musique de film aussi ringarde, vous ne perdez rien à essayer.

Comme toujours, gardez la tête et la colonne vertébrale alignées pour vous assurer que ce sont les bons muscles qui font le travail requis.

En outre, si vous prenez l'habitude de rentrer votre ventre, ces muscles-là vont finir par se renforcer.

Le programme cardiovasculaire

Échauffez-vous en vue de votre séance d'aérobic improvisée en faisant une marche de deux ou trois minutes, toujours en gardant les abdominaux contractés ainsi que la tête et la colonne vertébrale alignées.

Prenez soin de poser tout le pied par terre et pas seulement les orteils. Balancez les bras pendant que vous marchez et effectuez des mouvements amples, ce qui rend l'exercice plus agréable et plus efficace.

Augmentez peu à peu l'amplitude de vos pas et de vos mouvements puis revenez au centre.

Arrêtez-vous et tenez-vous debout, les pieds joints. En fléchissant légèrement les genoux, déplacez votre jambe vers la gauche, faites une pause puis ramenez-la au centre.

Répétez dix fois avec chaque jambe, en gardant tout le long vos mains sur vos hanches.

Répétez la même séquence, cette fois-ci en levant le bras correspondant à la jambe.

Si vous voulez augmenter l'intensité de l'exercice, quand vous ramenez votre jambe au centre, fléchissez les genoux pendant deux temps puis relevez-vous lentement.

Répétez 10 ou 20 fois de chaque côté.

Reprenez maintenant la marche en levant les genoux plus haut.

Arrêtez-vous et écartez les jambes de la largeur des épaules. Déplacez votre pied gauche à gauche puis amenez votre droit à côté de sorte à vous trouver à environ 20 cm de votre position de départ. Tapez votre pied droit puis ramenez-le au centre. Ramenez ensuite votre pied gauche au centre.

Répétez le mouvement à droite, puis à gauche, au total 20 fois de chaque côté. Puis reprenez la marche, en la transformant peu à peu en course lente. Arrêtez-vous graduellement et levez le genou gauche, en le gardant plus bas que la hanche et touchez la cheville droite avec la main droite.

Baissez le genou gauche et répétez avec le genou droit. Alternez 20 fois de chaque côté.

Si vous êtes incapable de toucher votre cheville, ça ne fait rien. Faites votre possible sans trop forcer.

Pour récupérer, faites deux à trois minutes de marche.

Le renforcement musculaire

Refaites les contractions du fessier en position allongée, de l'intérieur de la cuisse et de l'extérieur de la cuisse du jour 1. Refaites aussi les redressements partiel et oblique du jour 2.

La souplesse

La même chose qu'hier, en essayant encore une fois de tenir pendant plus longtemps (en comptant au moins jusqu'à 10 de plus) que la veille.

JOUR 6

Le programme cardiovasculaire

Comme au jour 1, faites de la marche rapide.

Le renforcement musculaire

Refaites la contraction des triceps du jour 3, une ou deux séries de 10.

Extensions alternées des genoux

Cet exercice renforce les muscles situés autour du genou, ce qui est indispensable si vous faites de la course ou de la marche rapide.

Asseyez-vous sur une chaise, les abdominaux contractés et la colonne vertébrale en alignement avec la tête. En gardant une jambe fléchie et le pied posé fermement sur le sol, levez lentement l'autre jambe à quelques centimètres du sol puis abaissez-la tout aussi lentement. Répétez cinq fois puis passez à l'autre jambe.

Les mouvements isométriques

Pour terminer aujourd'hui, vous allez faire quelques mouvements isométriques qui sont des petits mouvements, répétés fréquemment. Ils font des miracles pour modeler la silhouette... dans la mesure où on pense à les faire !

Contraction des fessiers

Concentrez-vous sur vos muscles fessiers en les contractant pendant dix secondes et en répétant le mouvement 20 fois.

Contraction des cuisses

Debout, contractez les muscles des cuisses pendant dix secondes et répétez le mouvement 20 fois.

Contraction du ventre

Assis bien droit, contractez les muscles de l'abdomen et appuyez votre dos contre la chaise. Tenez la contraction dix secondes et répétez-la 20 fois.

La souplesse

Comme précédemment, faites travailler les muscles des jarrets et des mollets, en les étirant aussi longtemps que le mouvement vous est confortable. Ces exercices devraient désormais être une seconde nature chez vous. Intégrez donc quelques étirements supplémentaires pendant que vous vous brossez les dents ou lorsque vous regardez la télévision.

JOUR 7

Le programme cardiovasculaire

Aujourd'hui, vous sautez de nouveau à la corde, mais cette fois-ci, vous allez accélérer un peu la cadence.

Échauffez-vous en marchant pendant deux à trois minutes. Les débutants devraient ajouter trois à cinq minutes à leur saut à la corde simulé. Ou bien ils devraient essayer de sauter pour de bon pendant deux à trois minutes durant leur routine.

Les gens plus avancés devraient ajouter six à huit minutes à leur programme. Vous pouvez augmenter l'intensité en ajoutant quelques sauts à pieds joints ou en levant les genoux plus haut lors des sauts sur un seul pied.

La récupération est importante car elle permet d'éviter la raideur et les blessures. N'oubliez donc pas de récupérer pendant deux à trois minutes.

Le renforcement musculaire

J'avais dit sans équipement mais vous devez bien avoir à la maison un ballon de plage ou de soccer ; sinon, servez-vous d'un coussin.

Fléchissement avec ballon

Cet exercice, qui semble ne demander aucun effort, fait travailler les muscles beaucoup plus que vous ne le pensez.

Debout, les pieds écartés de la largeur des épaules, fléchissez légèrement les genoux, rentrez le ventre et tenez le ballon devant vous à la hauteur des épaules, les coudes légèrement pliés. Transférez votre poids sur vos talons et veillez à ce que vos genoux ne dépassent pas vos orteils au risque de perdre l'équilibre.

À l'aide des muscles de vos cuisses, effectuez un fléchissement partiel comme si vous alliez vous asseoir puis reprenez la position debout, sans bloquer vos genoux.

Faites une série de 10 ou de 20 mouvements.

Étirement latéral de la taille

Commencez le mouvement comme ci-dessus, en tenant cette fois-ci le ballon au-dessus de votre tête. Contractez bien les abdominaux et penchez-vous lentement sur un côté jusqu'à ce que vous sentiez l'étirement.

Retournez à la position verticale, lentement et sans à-coup.

Faites une série de 10 mouvements de chaque côté.

Extension des triceps

Debout, en tenant le ballon au-dessus de votre tête, gardez les poignets et les avant-bras alignés. Amenez le ballon derrière votre tête sans bouger le haut des bras. Remontez ensuite le ballon sans bloquer les coudes.

Répétez le mouvement en gardant les coudes vers l'intérieur et en vous servant des muscles situés à l'arrière du haut de vos bras.

Faites une série de 20 mouvements.

La souplesse

Cette série d'étirements peut se faire soit dans le confort de votre lit soit au sol sur un tapis ou une couverture pliée.

Étirement du jarret

Couchez-vous sur le dos, un pied à plat sur le sol et un genou légèrement fléchi. Amenez l'autre genou vers votre poitrine.

Gardez le genou dans cette position en tenant la cuisse ou en faisant passer une écharpe ou une serviette par-dessus le pied et en en tenant une extrémité dans chaque main. Étendez maintenant la jambe vers le plafond.

Répétez cet exercice en douceur avec chaque jambe.

Étirement général du corps

Allongez-vous sur le dos, les pieds à plat sur le sol, les genoux légèrement fléchis et les bras le long du corps. Levez doucement vos bras au-dessus de votre tête mais sans arquer le dos.

Étendez la jambe en l'air mais sans la balancer. Vous devez sentir l'étirement dans les muscles de votre cuisse, pas dans les muscles dorsaux ou abdominaux. Concentrez-vous pour exécuter cet exercice correctement.

Changez de jambe et faites l'exercice de l'autre côté, pour un total de cinq de chaque côté.

Étirement du bassin et du dos

Allongez-vous sur le ventre. Mettez-vous à quatre pattes en alignant les épaules et les coudes ainsi que les hanches et les genoux.

Faites glisser vos mains vers l'avant de manière à que votre buste forme une ligne continue avec vos hanches et le bout de vos doigts. Brisez doucement cette ligne en baissant votre front vers le sol, en veillant à garder le dos droit. Comptez jusqu'à cinq et répétez cinq fois.

Essayez maintenant d'accentuer l'étirement en faisant glisser une jambe vers l'arrière, tout en gardant l'autre pliée et le pied tourné légèrement vers l'intérieur.

Répétez cinq fois de chaque côté.

Étirement du jarret et de l'intérieur de la cuisse en position assise

Pour terminer, effectuez l'exercice suivant. Assis, bien droit, pliez une jambe de manière à ce que la plante du pied vienne se placer sur l'intérieur de la cuisse de la jambe opposée. Étendez l'autre jambe sur le côté aussi loin que possible, en gardant le pied bien pointé vers vous, pas vers l'extérieur.

Contractez vos abdominaux et tournez-vous pour faire face à la jambe tendue. Penchez-vous doucement en avant, à partir des hanches plutôt que du milieu du dos, jusqu'à ce que vous sentiez un étirement léger dans le dos et dans la partie interne de la cuisse.

Changez de jambe et faites le même mouvement de l'autre côté.

Répétez l'exercice cinq fois de chaque côté.

BRAVO !

À la fin de la semaine, même la personne qui n'avait plus fait d'exercice depuis sa dernière course autour du terrain de sport à l'école devrait avoir retrouvé un peu de sa vigueur.

MAIS NE VOUS ARRÊTEZ PAS LÀ

Prenez un répit d'une journée. En réalité, les jours de repos sont aussi importants que les jours d'entraînement ; ne les considérez donc pas comme de la paresse.

Une fois que vous vous êtes reposé, reprenez l'exercice. Variez votre programme en y ajoutant des exercices d'aérobic durant la journée, si vous en avez la possibilité et au moment qui vous convient le mieux. Vous avez cinq minutes de libres ? Montez et descendez plusieurs fois un escalier ou allez faire une marche rapide autour du pâté de maisons.

Et poursuivez aussi le renforcement musculaire et les étirements. C'est tellement facile et pourtant, c'est ce qui fera toute la différence.